An t- Eilean Fada

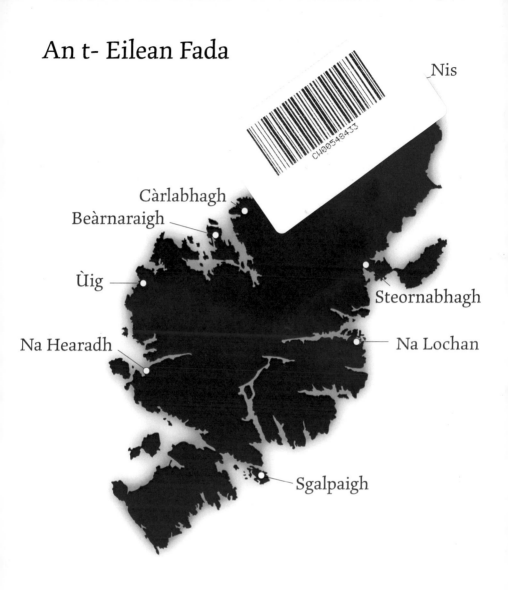

Nis

Càrlabhagh

Beàrnaraigh

Ùig

Steornabhagh

Na Hearadh

Na Lochan

Sgalpaigh

Rotal (The wake of a boat)

An dealbh: Ruairidh Moireasdan, Stocanais-
Gaelic proverb
Bu dual do dh'isean an ròin a dhol chun na mara.

Gaelic proverb
Chan eil fhios aig fear a' bhaile mar tha fear nam mara beò

Tha agus bha na h-iasgairean ann an Leòdhas agus Na Hearadh dealasach ann a bhith a' gabhail ri gach tionndadh nam beatha agus a' leum chun an ath-chothroim airson bith-beò a dhèanamh.

Tha mi duilich nach do ràinig mi a h-uile h-iasgair agus an sgeul fhèin acasan. Dh' fhaodadh an rannsachadh seo cumail a' dol thar bhliadhnaichean ach 's feàrr fuine thana na bhith falamh idir.

Mo bheannachd aig gach neach a thug seachad am fiosrachadh agus na deilbh. Chaidh bruidhinn ris na h-iasgairean sa chànan a dh' ionnsaich iad aig a' ghlùin: le sin bha an còmhradh sa Bheurla agus sa Ghàidhlig.

This research is as a result of changes in lifestyle and working practices I observed in the Island community, in which I live. I now wish to make available the information entrusted to me. Recordings were done over a number of years and outline the fishermen's willingness to diversify, their passion for the natural world, worldwide links, enthusiasm for their way of life and the maritime stream in the blood. The collection includes customs and related words and phrases in Gàidhlig, which will be of interest to future researchers of island culture.

This is principally a book about fishing: the Lewis and Harris fishermen were interviewed in their first language, so there are Gaelic and English interviews included.

Thank you to all those who contributed their extensive knowledge and also the local photographers who contributed their pictures for this collection.

Magaidh Smith

Foreword

I first met Magaidh Smith one summer back in the nineties during the early days of Ceòlas, the annual Gaelic music school and festival, held in South Uist. Despite my Uist forebears on my mother, Anna Sheonaidh 'ic Ghilleasbaig's side, I was at the time a still hesitant speaker of Gaelic. I was convinced of the language's intrinsic value as the best possible vehicle for conveying the island culture, but personally unsure in its use, and reluctant to impose my faltering verbal efforts on neighbours or friends to whom it came naturally. The burden that learners may place on fluent speakers when they demand the special attention they need in order to operate effectively in Gaelic is not often acknowledged, but Maggie was a model of communicative generosity, quickly putting me at ease and allowing us to explore our shared interest in Gaelic music and song comfortably.

Our paths then diverged, and we didn't meet up again until quite recently, when I was delighted to gather together samples of her tireless work in the meantime with island Gaelic communities over the past number of years on a single page on the Island Voices/Guthan nan Eilean site - https://guthan.wordpress.com/magaidh-smith/. What a fantastic addition to the overall collection! Anyone listening in will surely appreciate, in addition to the fascinating content, not just the clarity of voice but also the conversational skill and sensitivity that Maggie brings to these recordings.

And so it is with this new collection – so clearly a labour of love on Maggie's part, doggedly pursued through all manner of obstacles, including the COVID-19 pandemic lockdown! It's interesting that, this time, she's chosen to make a book of her newest collection. Of course, there is something permanent about a written record, printed on paper and enclosed between covers, when spontaneous speech is of its very nature ephemeral. Solidifying it in writing in some sense accords it the due attention and respect that might otherwise elude its richly deserving content. Maggie is to be heartily congratulated, not just on gathering these materials in the first place, but also on going the many extra miles to see them transcribed and then collated in this volume. The richness of vernacular speech, the wealth of local knowledge and stories, the world of Lewis and Harris fisherfolk, if these are your interests, this book will provide you with rich rewards. .

Following our recent reacquaintance I asked Maggie about her work and life history.

"Thogadh mi am baile croitearachd, An t-Acha Mòr, agus cha robh ann ach a' Ghàidhlig.

Dh'atharraich sin mu na 80s agus bha mi mothachail air na dòighean, na facail, na h-abairtean agus an t-eòlas a bha sinne a' call. Chuir mi romham gum bu choir dhomh tòiseachadh a' sgrìobhadh agus a' clàradh mus deideadh gach nì à cuimhne".

Leis cho sgileil 's a tha an obair, 's e glè bheag de leughadairean a shaoileadh gur ann "do mharaichean an Acha Mhòir" a bhuineas i.

Gordon Wells

Contents

Na Làithean a dh' fhalbh

Chan fhaic thu seòl ga chur air dòigh
Buille ràmh san dòrn cha chluinn mi
'S na nithean còir bha ann nam òig'
Gun dh'fhalbh 's rim bheò cha till iad.

Gach cagailte bhlàth fo shùithe 's fo spàrr
Nach bu chàilear leat bhith annta.
Na do shuidhe air fàd 's gach cathair làn
Is coire pràisg air sràbhlaidh.

Bhiodh bodaich choir le feusag mhòr
Toirt òrdugh anns gach àm dhuinn
Ri luaidh mu iasgach a' Chuain Mhòr
Far na shil iad bòid 's a' ghanntair.

Bhiodh iad a' luaidh mu bhàt' is seòl
Is ròpan agus com'aist
Mar a *reefaig* iad ri dol chun còrs
San fhairge mhòr le greann oirr'.

Bhiodh òraid aca mun a' Bhruaich
Is Sealltainn agus Stronsay
Is nuair tharraing iad tri fichead lìon
Chaidh siùil gu dìon a *shizeadh*.

Is an uair a ghabh na siùil ud làn
Bha an sgiobair sàs air cuibhle
Bha *sheet* 's *hel'ard* 's iad fo spàrn
'S am bàta 's i a' cur tuinn dhith.

Coinneach Iain Mac a' Ghobhainn, Iarsiadar

Beàrnaraigh

Generations of men in Great Bernera off the west coast of Lewis, on the edge of the rich fishing grounds of the Atlantic, have been lobster fishing.

Lobster ponds were created to match the vagaries of fishing, distant markets and transport. Enabling the catch to be released into an enclosed area, the lobsters could be retrieved when the transport and the most lucrative markets lined up.

Some of the lobster ponds mentioned were: Geàrraidh Chiribhaigh, Tòb Blàr Meadha/ Loch Rìosag, build by Murdo Morrison, a man with great vision, and the lobster pond at Caolas Lungam in Tobson.

An in-depth account of Morrison's lobster pond at Loch Riosag is included, thanks to a member of his family responding to an article in print c1930, about another lobster pond on the Isle of Luing, purporting to be the first of its kind on the West Coast of Scotland.

The late Donald MacAulay (Reddy) in 2010 told a family story of how his grandmother around 1860-70, along with other women with creels on their backs, gathered small stones to carry to the stonemasons building the huge stone dyke at Loch Riosag.

The long wall across the mouth of the bay is said to be 75 yards long, 13 foot at the base and tapering to 6ft at the top. The stone was earned and dressed by two stonemasons from Tobsun, they were paid a shilling and 6d a day. Labourers were paid one shilling a day and the women working part time, received 6 pennies a day, or a groat worth 4 pennies, when they worked a shorter day.

Dotted around Great Bernera are other fishing related landmarks, *taighean-saillidh*, the curing stations, where cod, ling and tusk were landed, dried and cured. This commodity was transported sometimes by local boats, to distant places, as far as the Baltic. Donald MacAulay's (Reddy's) account lists the location of the ruins of some of the curing stations.

Dòmhnall MacAmhlaidh (Reddy)

Port Circibost

Na Taighean-Saillidh

Nuair a bhiodh iad a' glacadh an èisg am Beàrnaraigh, bha e air a shailleadh agus air a shèiseanachadh anns na taighean-saillidh.

Tha tobhta taigh-saillidh am Beàrnaraigh Bheag, a bha uaireigin aig fear a bhiodh a' ceannach iasg agus giomaich, *Charles Saunders Ltd Fish Merchants* à Southampton. B' e esan a thog Taigh a' Chaolais gad a bhios iad ag ràdh gur e 'An Dòmhnallach' a thog e, cha b' e. Gabh e os làimh e, bha a mullach air falbh dheth.

Uaireigin bha dà thaigh-saillidh an Circibost a-muigh aig an slipway agus taigh-saillidh eile ann am Barraglom. Taigh-saillidh aig na Moireasdanaich an Crothair, an fheadhainn a tha aig Taigh na Muic ann am Bràgair. Bha iad càirdeach dha Murchadh Moireasdan a thog an tòb ghiomach, an Tòb Blàr Meadha am Beàrnaraigh, 's e mac am dà bhràthair a bha annta.

Bha taigh-saillidh aige fear air an robh Donald Smith à Steòrnabhagh. Bha an taigh aige air taobh shìos a' *Masonic Lodge* air *Kenneth St*. 'S e an Donald Smith sin, a thog an taigh sin, bha e pòsta aig tè clann 'ic Amhlaigh Seòras Chrothair.

Bha ceithir taighean-saillidh ann an Caolas Lungam, Tobsun. 's e acarsaid mhath a bh'ann an Caolas Lungam, ach dh'fheumadh tu a bhith eòlach. Bha sgeir ann, ach bhlast iad pìos mòr dhan an sgeir sin. 'S e clach mhath a bha innte, bha i a spultadh 'square', furasta a gearradh 's a bristeadh. 'S e 'Sgeir a' Bhlast' a chanas iad rithe fhathast.

Bha fear Chisholm ann, bha gnothaich aigesan leis na driofthearan, a bha dol a-null le salainn chun an taigh-saillidh ann an Caolas Lungam. Bhiodh i a tilleadh làn chlachan air a dhreasigeadh airson an taigh aige. An taigh a bha ri taobh bùth bhròg na Smithich sin, ann an Ceann a' Bhàigh, an Steòrnabhagh, 's ann à Caolas Lungam a thàinig a' chlach a thog an taigh sin.

Calum Sgàire

Bhiodh Calum MacAmhlaigh, Calum Sgàire a rugadh mu 1822, a' falbh le iasg air an *schooner* an '*Express*'. Bha e air gealladh pòsaidh a thoirt dha tè Catriona NicLeòid à Breàcleit agus dh'fhalbh e air voyage a null dhan a' Bhaltaic, dhan an t-Suain.

Fhad-sa bha e air falbh, thug a pàrantan oirre, fear eile a phòsadh agus iad a' smaoineachadh gum biodh i na b' fheàrr dheth.

San nuair a thill Calum a-nàll a rinn e Òran Chalum Sgàire. An dèidh sin, chaidh e fhèin agus a thriùir bhràithrean agus a phiuthar a Chanada mu 1851, air an t-soitheach am *Marlow* a thàinig a-steach an Loch a Ròg. Dh'fhalbh e còmhla ri feadhainn eile air Beàrnaraigh is Uig.

Ach greis roimhe sin, bha e air a bhith a cèilidh an taighe, a bha far a bheil an *carpark* a dol sìos chun a' chladh ann am Bòstadh an diugh. Bha taighean gu h-àrd air an lobhta agus sin fait' an robh Sgàire a' fuireach. Sin mo shean shean shean shean shean seanair. Mise Dòmhnall Choinnich Iain Aonghais Sgàire.

An oidhche seo, anmoch, no tràth sa mhadainn agus e tilleadh dhachaigh, dh' fhosgail barrall a bhròg, chrom e sìos, 's cheangal e a bharrall agus sheas e an àirde. Mar a bhiodh cumanta aig a h-uile duine an uairsin, agus muinntir Bheàrnaraigh an ire mhath, chun an latha an diugh, a' coimhead chun na mara.

Far a bheil an cladh ann am Bòstadh an diugh, 's e bha an uairsin aca, mar a chanas iad anns a' Bheurla, *a communal field*. Sin far an robh eòrna agus gràin aca ga chur, 's e talamh torrach a bh' ann.

Chaidh e mach às a' bhàta an ath-mhadainn agus thuirt e ris na bha còmhla ris, "Chunnaic mise rud iongantach anns a' mhadainn an-diugh, nuair a bha mi tighinn dhachaigh". Dh' innis e mar a thachair, arsa esan "Chunna' mi sluagh mòr na sheasamh anns an arbhar agus cha do dh' aithnich mi duine aca". Bhiodh sin mu 1839-1840.

Chaidh cladh a dhèanamh an sin agus chaidh a' chiad duine a thìodhlacadh anns a' chladh ann an 1908.

Seas gu h-àrd air an fhaobhar sin an-diugh agus chì thu na clachan ann an-siud nan seasamh, chanadh tu fear gur e daoine a tha annta, mar a tha na clachan an còmhnaidh a' coimhead gun ear no ann an àitichean eile gun iar. Bhiodh esan na sheasamh gu h-àrd faisg air an taigh aca fhèin, far a bheil na *toilets* an diugh, gu h-àrd fèir air an fhaobhar sin.

Iasgach

Bha Beàrnaraigh math dheth, an taca ris a' chòrr de Leòdhas. Bha an iasgach-geamhraidh aca agus iad a' dol a-mach gun cailleadh iad beanntan Ùige, bha iad a' gleidheadh rud beag air fàire agus a' cur nan lìn ann an sin. Bhiodh iad a' cur lìon bheag an toiseach agus gheibheadh iad a h-uile seòrsa: easgann, caoiteag, agus leòbagan. An t-easgann bhiodh i math son a bhith a' glacadh an langa, leòbag gheibheadh tu turbaid, ach, bha an àite làn èisg.

Bhithinn a' cluinntinn mun bhàta mòr aig Mackenzie 's Mackay agus am bràthair-cèile an Tàcleit. Bhiodh 35 troigh de dh'fhaid innte gu h-àrd, 28 troigh a bha i anns an drùim. Tha e coltach gun robh iad air iasgach a dhèanamh agus feumaidh gun d' fhuair iad iasad. Chaidh an t-eathar a thogail dhaibh ann an Ceann Phàdraig. Cheannaich iad an t-eathar le *set* siùil ùr oirre, 6 lìon sgadanach agus drioft lìon mhòr. £45.00 a chosg i. Ma tha, bha an t-eathar air a phàigheadh, a h-uile càil an ceann deich bliadhna.

An Tòb Ghiomach

Chaidh an Tòb Ghiomach a thogail ann an tòb, an taobh an iar de Loch Rìosag, no Tòb Blàr Mèadha, 's e sin a' Ghàidhlig cheart air blàthach, blàr mèadha. Chaidh a thogail mu na 1860/70an agus tha e coltach gum biodh suas ri 100,000 giomach aca ann.

Nuair a chaidh a thogail bha mo sheanmhair, taobh mo mhàthar, an sin le cliabh còmhla ri iomadh boireannach eile, 's iad a' cruinneachadh clachan beaga son lìonadh a' bhalla. Bha 13 troighean deug de leud ann am bònn a' bhalla agus e a' dol an àirde gu 6 troighean de leathad.

Chaidh a h-uile clach a bha sin a thogail, sa dhreasaigeadh le làmhan agus an cur ann, 's an uair sin am bala a lìonadh an àirde. Bha dà chlachair à Tobsun, bha iadsan pàighte tasdan agus sià sgillinn anns an latha. Na bha *labourigeadh* a' faighinn tasdan anns an latha. Nis na boireannaich, cha robh iad ag obair ach pàirt-ùine, 's e sia sgillinn a bha iad a' faighinn. A rèir dè na h-uairean a bhiodh iad ag obrachadh,'s e gròt a bha iad a' faighinn.

Togail Eathraichean

'S e *scaffies* a bhiodh aca ag obair air na giomaich an uairsin. Leithid am *Maryann SY1030*. Bha i sin 16 troighean, bha iad goirid anns an druim, bheireadh tu timcheall aithghearr i, furasta obrachadh leis mar a bha a' ghaoth.

'S e Scodaidh a bhiodh togail nam bataichean, bha esan aig No 8 Circibost. Gan togail mu choinneamh an taighe agus bhiodh ochdnar no deichnear fir, ga toirt sìos gun a' chladach 's ga cur a-mach. Cha robh càil aig Scodaidh ach an dealbh a bha na cheann. Tha model de tè aca am Greenwich Museum.

A h-uile h-eathar a thog Scodaidh a-rìamh, chanadh tu gun robh an darna tè na b' fheàrr na an tè eile. An uair a bha am Bàthadh Mòr anns an Loch a Tuath, an fheadhainn a thàrr às, 's e bàtaichean a bha Scodaidh air a thogail. Rud a bha glè iongantach. Bha dìreach liut aige air an obair.

Calum Donn à Circibost, bha esan thall ann an Canada agus bha sàbh agus *brace* aige a' tilleadh dhachaigh. Brace airson dèanamh toll, ron sin 's e *gimlet* an aon rud a bh' ann, ag obair le do làmh.

Co-dhiù bha Scodaidh air bàta mòr a thogail. Mar a bhithear a togail a' bhata an toiseach, cha robh na rangan air a chur innte, gus am biodh an t-slige deiseil, ach dìreach *rough supports*. Nuair a chunnaic e Calum coir a' tighinn leis a' *bhrace* à Canada, smaoinich e, "Bidh seo furasta dhomh a-nis".

Bha Scodaidh dol a dh' iasgach le lion mhòr agus thuirt e ri Calum Donn "A Chaluim, nach dèan sibh na tuill airson na rangan. Bheir mi dhut bonn a sia an toll".

Co-dhiù nuair a thàinig Scodaidh bochd dhachaigh dh' fhaighnich e dha bhean "Dè mar a chaidh dha Calum Donn, an robh e a-bhos?"

"Bha" arsa ise "Tha e deiseil".

Cha robh e ga creidsinn agus dh'fhalbh e a-mach, an uair a chunnaic e an obair bha fear eile air a dhèanamh ann an ùine ghoirid.

Thuirt e "Oh dhiabhal mo chrìch! Bonn a sia an toll. Duda nì mise a-nis"

Bha e cho duilich tolladh a-steach le *gimlet*, cha do smaoinich Scodaidh gum biodh Calum Donn cho luath ris a' ghnothaich.

Dòmhnall MacAmhlaigh a bruidhinn ri Magaidh Nic a' Ghobhainn, 2010.

Lobster Pond at Caolas Lungam, Tobson courtesy of Colin Macleod Heb Swimmer

Lobster ponds at Caolas Lungam, Tobson courtesy of Nick Good @AirscapeAerial

Iain MacAmhlaigh

Pòrt: Circibost

Ann an Circibost uaireigin, bhiodh iad ag obair le lìn mhòr agus na h-eathraichean siùil. Bhiodh mo sheanair agus bràthair m' athar ris, ach cha do rinn m' athair mòran aig an iasgach idir.

Leis na lin-mhòr, bhiodh iad ag iasgach a-muigh an iar, seachad air na h-Eileanan Flannach. B' e mo sheanair Iain Aonghais Bhuidhe air taobh m' athar, agus Dòmhnall 'An 'ic Artair, a chanadh iad ri mo sheanair air taobh mo mhàthar.

Bhiodh ceathrar no còignear as a' chriutha agus cha robh aca ach seòl, ràimh agus combaist. A' falbh a-mach dhan a' chuan 's dòcha gum feumadh iad a bhith ag iomaireadh leth an latha. Tha cuimhne agam bràthair m' athar a bhith ag innse dhomh gum biodh eadar 300 agus 400 langa aca a' tighinn dhachaigh.

Thug mi fhìn greiseag air *coaster* shìos an Sasainn, bhithinn dhà na trì air fhichead. Bha bràthair dhomh air a *Mhàiri Dhonn* agus thàinig *joba* an-àirde, sin mar a thòisich mise mu mheadhan na 50an. Bhiodh sinn a' dol a Hiort leis a' *Mhàiri Dhonn,* cha robh i ach 33 troigh. 'S e fear bho taobh Dun Èideann a thog a *Mhàiri Dhonn,* fear air an robh George Clark. Thog e dhà no trì eathraichean an dèidh sin, bha *Scotch Lass* aige cuideachd. Bha e a' fuireach bliadhnaichean an Circibost agus nuair a reic e am *Màiri Dhonn* 's e Dòmhnall MacAmhlaigh, Dòmhnall a Chlapper, a cheannaich i.

Bhiodh bucais againn airson na giomaich agus bhiodh sinn ga seòladh air acair an àite fasgach. Bhiodh sinn a-muigh fad na seachdain agus ga *landadh* madainn Disathairne nam biodh an aimsir coltach. Anns na 50-60an bhiodh sinn a' cleachdadh an Tòb Ghiomach. 'S e companaidh bho air falbh, CSA *Crofters Supply Agency,* a bha a' ruith an Tòb Ghiomach an uair sin. Bhiodh iad a' cumail na giomaich ann fad an t-samhraidh, gus am biodh prìs oirre am Billingsgate aig deireadh na bliadhna. Bhathas gan cur am bucais fiodha agus a' cur stràbhan bhos an cionn. Gan toirt a Bhreàscleit air an eathar agus bha làraidh Fhionnlaigh, am Bowman, gan toirt a Steòrnabhagh. Bhiodh iad a' dol air an *Loch Seaforth,* a' falbh aig meadhan oidhche gu ruige An Caol no Mallaig.

An 1959, fhuair sinn eathar dhuinn fhìn, an *Reliant,* bha i 40 troigh, agus chaidh a togail dhuinn ann am Banff. 'S ann tron an *White Fish Authority* a thàinig i, ged a thàinig oirnn fhìn beagan a chur sìos. Bha againn ri iasad fhaighinn bhon an *White Fish Authority.* Thuirt sinn riutha gum pàigheadh sinn an còig bliadhna e.

Thuirt iad gum feumadh sinn iasad co dhiù fichead bliadhna a bhith againn. Bha sin ceart gu leòr, ach phàigh sinn i ann an còig bliadhna.

Bhiodh sinn a' giomadaireach, agus thòisich margaid airson crùbag an dèidh sin. Chur sinn *winch* oirre airson tràladh, nuair a bha an tìde dona anns a' gheamhradh, bhiodh sinn a tighinn a-nall dhan a Mhinch. Bha am bata An *Reliant* againn còig bliadhna deug. An dàrna tè a fhuair sinn, san tron an *Highland and Islands Development Board.* Sin an *Sovereign,* bha i trì bliadhna nuair a cheannaich sinn i, ann an MacDuff. Bha sinn a' tràlaigeadh agus ag obair giomaich agus crùbagan.

Thàinig an sgeama ùr a-mach an uairsin bhon HIDB agus thàinig dhà na trì eathraichean a Bheàrnaraigh, an *Astronaut* agus an *Sir Lancelot*. Thàinig tòrr eathraichean chun an taobh an ear: Steòrnabhagh, an Rubha, Tolstadh agus Am Bac mu na 1960-70an. *An Ripple, Diane, Sonas, Kathleen.*

As an Rubha bha *Fiery Cross, Providence, Girl Norma.* Am fear aig an robh an *Girl Norma,* bha tè aige air an robh am *Frigate Bird,* mu mheadhan na 50an, is e ag obair le lion mhòr a-mach às an Tiumpan.

Thàinig eathraichean chun Na Lochan mar an *Resolve* ged a bha esan a' fuireach air a' Bhac. Thàinig grunn a Tholstadh: An *Comrade, Highland Chieftain, Olive Branch, Strath Garry, Wave Crest, Braes of Garry* agus feadhainn eile. Chan eil cuimhne agam air a h-uile gin aca. An *Rona* ann an Nis, *Queen of the Isles* agus an *Calina.*

Bha tè, saoilidh mi gur ann aig an *Highland Board* a bha i, ag ionnsachadh nan iasgairean, gum faigheadh iad eathar dhaibh pèin, 's e an *Islesman* a bha air an tè sin. Thàinig tòrr a dh' eathraichean a Sgalpaigh, 'ringers' a bha sin, *Scalpay Isle, Jasper, Ribhinn Donn, Village Maid,* chan eil cuimhne agam air a' chòrr.

Abair gun robh obair eathraichean an Circibost anns an latha sin. Bha teaghlaichean meadhanach mòr ann, bhiodh barrachd ann an dhà na trì taighean an uairsin, na tha anns a' bhaile gu lèir an-diugh.

Iain MacAmhlaigh a' bruidhinn ri Magaidh Nic a' Ghobhainn, Dàmhair 2020

Iain Angus MacAmhlaigh

Port: Circibost

Air taobh m' athar, Niall Iain, bhiodh iad gu lèir ag iasgach a-mach à Beàrnaraigh. Mo sheanair Iain, neo An Clapper, agus mo shean-sheanair 'An Nèill.

Bhiodh mo shean-sheanair dèidheil air crùbag ithe. Bha facal aca "Chan eil diofar de gheibh tu, ach feuch am faigh thu crùbag dha 'An Nèill"

Bhiodh na bha romham a' giomadaireachd, ach bhiodh iad ag obair air lìon mhòr cuideachd, airson an langa san tròille, mu na h-Eileanan Flanach 's sìos cùl Ùige.

A h-uile h-eathar a bha anns an teaglach, 's e an *Star* a bha oirre. Bha *Star* aig m' athair air a' chiad eathar a bha aige. Bha fiù 's nuair a thog m' athair Niall Iain eathar ùr, bhathas ga togail ann an 1969 mun àm sin, cha robh càil air aire dhaoine ach Apollo, 's daoine a' dol chun a' ghealaich. 'S e na h-*astronauts* mar Neil Armstrong, Aldrin 's na daoine sin, 's iad a bha '*to the fore*'.

Bha iad a' feuchainn ri ainm a lorg son an eathar agus chaidh an t-ainm *Astronaut* 's e *sailor of the stars* a th' ann, a chur dhan ad, còmhla ris a h-uile gin eile. Bha seo ri linn gur e *Star* a bha air a h-uile h-eathar a bha air a bhith anns an teaglach.

'S e *Astronaut* an t-ainm a thàinig a-mach às an ad. Cha robh mo pheathraichean *keen* air agus chur iad air ais dhan ad e. Thàinig e a-mach a rithist, chaidh a chur a-steach a-rithist. Thàinig e a-mach an tritheamh triop, thuirt m' athair "Stad, 's e sin an t-ainm a tha gu bhith air an eathar".

A dol chun an iasgach

Mus do d' fhàg mi am sgoil bhithinn ag iasgach timcheall air Circibost, feuchainn ri dhà no trì giomaich fhaighinn, son *pocket money*. 'S e leasan math a bha sin cuideachd, gheibheadh tu dhà no trì giomaich agus prìsean math. Bhiodh tòrr mòr airgead agad. Gheibheadh tu a-mach gu math cliobhar nach fhaigheadh tu air a chaitheamh gu lèir, son an ath-sheachdain bhiodh dearg ghèile ann 's chan fhaigheadh tu a-mach. An ath-sheachdain bhiodh gèile ann fhathast. 'S cha bhiodh glung agad air fhàgail. Bhiodh tu ag ionnsachadh nach fhaigheadh tu air a chaitheamh gu lèir, às bith cia mheud a gheibheadh tu is dòcha gum biodh e greis mas fhaigheadh tu an ath-rud.

Bha mi mu 17 air a dh'fhàg mi an sgoil 's thoisich mi ag iasgach, 's e obair math a bha ann an uair sin. Bhiodh sinn a' giomadaireachd agus bha sinn a' dèanamh airgead cho math 's bha a dol, an Eilean Leòdhais an uairsin. Bhiodh tòrr tide againn dhuinn fhèin anns a' gheamhradh, bha e a' còrdadh math ruinn. Bha an obair cruaidh cruaidh agus bhiodh sinn aig muir fad seachdain. A falbh cùl na Sàbainn agus a' tilleadh feasgar Dihaoine ach a' fuireach aig muir fad an t-seachdain.

Bha mi air an eathar còmhla ri m' athair a' chiad ghreis ach, 's ann gun robh fear den chriutha aige air a leòn, nuair a thàinig esan air ais, thàinig ormsa *berth* eile a lorg. Cha robh *favouritism* idir ann.

Margaidhean

Bha tòrr eathraichean a-mach à Beàrnaraigh an uair sin agus tòrr an ìre mhath a' crochadh air a' ghiomadaireachd. Goirid as dèidh sin thòisich sinn air na crùbagan. Obair chruaidh, b' fheàrr leinn a bhith aig giomaich ceud uair. Cha robh margaid air a bhith ann chun an sin, ach thòisich factaraidh faisg air Obar Dheathain ga cheannach. Bhiodh na crùbagan a' falbh air an làraidh a h-uile h-oidhche.

Thòisich feadhainn bho tìr mòr air factaraidh ann am Beàrnaraigh fhèin, 's bha e a' dol latha 's a dh'oidhche, le na bha iad a' faighinn de chrùbagan. A' goil a' chrùbaig, 's ga reothadh 's bha iad *vacuum packed*. Cha robh duine anns an sgìre, ma bha thu fut airson obair, bha obair agad, ma bha thu ga iarraidh.

Bha sinn a' faighinn a' phris air a' chidhe, bha iad gan cothromachadh a h-uile h-oidhche nuair a bha sinn a' dol air tìr, 's bha fhios againn dè bha sinne a' faighinn.

Bha mi a' sgiobaireachd eathar m' athar airson grunn mòr bhliadhnaichean, bha sinn ag obair le iomadh seòrsa rud, ag obair le lìn, *cray fish* agus iasg. Bhiodh sin fiù 's greiseig anns an *North Sea* 'g obair air conachagan, gan rèic a Khorea. Bhiodh sinn a-muigh an sin airson 10 latha, cha robh iad ag obair ceart air a' reothairt, oir bha an t-sruth làidir, *so* bhiodh sinn a' tighinn dhachaigh.

Cheannaich mi an uair sin tè mhòr *steel* agus bha sinn ag obair nas fhaide às. Bhiodh sinn an iar air Sealltainn agus a-muigh anns a' Chuan Hiortach. Bhiodh sinn a' cur an iasg air tìr ann an Kinlochbervie.

Reic mi an tè mhòr sin suas ann an Iceland agus nuair a bha sinn shuas, chunna' mi gun robh iad a togail eathraichean a bha coimhead math dha-rìribh.

Thog sin tè aca, Isborn 's e sin *Ice Bear* ann an Norse. Chur mi an t-ainm *Is* airson Iceland agus *Bjorn* airson Beàrnaraigh. ('s e *Bjorn* mathan, s dòcha gur e ainm duine a th' ann, duine mòr a dh' fheumadh a bhith annad, airson *Bjorn* a bhith ort). 'S e Eilean *Bjorn* a tha Beàrnaraigh, a' ciallachadh.

Teaghlach a' Chlapper

Bha triùir bhalach ann an teaghlach a' Chlapper, bha m' athair Niall Iain, chum e air ag iasgach agus bha na h-eathraichean aige. Bha a bhràthair Dòmhnall, thòisich esan ag iasgach 's bha eathar aige am *Màiri Dhonn* agus an uair sin chaidh e na mhinistear, bho dheireadh bha e na *chouncillor* agus na *Chonvener*.

Am bràthair eile Seòras, bha e *keen* air iasgach ach 's e an rud bu mhotha a bha e a' dèanamh, 's e a' ceannach 's a reic iasg, bha e na *mherchant* agus thog e factaraidh an am Beàrnaraigh.

Bha tòrr chreachain anns an loch an uair sin, bhiodh iad a *divigeadh* air an son agus bha iadsan a' dol dhan a' factaraidh. Rud eile a bha iad a dèanamh 's e *kippers*. Nuair a gheibh mi fàileadh nan kippers an-diugh, tha e gam thoirt air ais gu Beàrnaraigh nuair a bha am factaraidh a' dol, anns na 70s a' dèanamh *kipperan*.

An deidh 26 bliadhna ag iasgach

Bha mise ag iasgach airson sia bliadhna fichead. Nuair a sguir mi, chaidh mi chun a' *Choastguard*, a' cuideachadh daoine a bha ann an duilgheadas. Thug mi còig bliadhna an sin a' bruidhinn ri iasgairean eile.

Tha mi a-nise shuas aig Colaiste a' Chaisteil sa *Maritime Department*, tha mi fhathast am measg nan iasgairean. Bidh sinn a' dèanamh *safety courses, survival, radio* agus *navigation*. Cha deach mi ro fhada às bhon a' mhuir. Chan eil an t-sàl fada às. Ma tha *interest* agad is e anns an fhuil, tha e duilich gluasad air falbh bhuaithe.

Tha e a' còrdadh rium a bhith a-measg nan iasgairean, an ath-sheachdain bidh mi shìos ann an Uibhist agus Barraigh, an dèidh sin a' faighinn nan seanchas gu lèir.

Cothroman san iasgach an diugh

Tha cothroman ann do bhalaich òga an-diugh, bho chionn dhà no tri bhliadhnaichean chaidh a' phris an àirde tòrr, gu h-àraidh bho thòisich China gan ceannach, rinn sin eadar-dhealachadh mòr. B' àbhaist a h-uile càil a bhith a' dol dhan an Roinn Eòrpa.

Chanainn, mura bheil feagal agad ro obair, droch thìde no fuachd, tha an cothrom agad son gabhail gu muir agus feuchainn air. Chan eil e furasta, ach bha sinne a faighinn *kick* mhath às. Mar bu mhiosa a bha an fhairge, 's ann a b' fheàrr a bha e.

Feumaidh tu a bhith ag atharrachadh anns an iasgach ma thig rud eile an àirde.

Ma thèid thu air ais fada gu leòr, 's e langa a bha a' cunntadh air an lion mhòr. An uair sin bhiodh na giomaich a' dol a *Bhillingsgate*, uaireannan bhiodh iad gan cumail, bho fhoghar gu *Christmas*, gus an deidheadh na prìsean an àirde. Bhiodh iad gan cur air falbh agus gheibheadh iad *telegram* air ais a' cantainn gun robh a h-uile càil air bàsachadh, 's cha robh fhios agad an robh no nach robh.

Thòisich sinn air *crayfish*, giomaich mora dearg le stoban mora dearg a-mach asta, tha pris mòr air an sin. Nam faighinn a' phris a tha iad a' faighinn am beathach, air na h-othaisgean….

Rudan ùra - Tuna

Bha mi a-muigh le luchd-turais, mu aon mhìle deug bho Hiort agus bha sinn a' faicinn nan sùlairean, fèir a' dol às an ciàll a' *diveadh* agus a' *diveadh*.

Bha eathar làn dhaoine againn a' dol a Hiort. Bha mi a' cantainn riutha "Seall, 's e *dolphins* a bhios an seo, a' cur an sgadan suas air uachdar agus an uair sin tha na sùlairean a' feuchainn oirre cuideachd.

Cha robh sinn a' faicinn càil a' tighinn air uachdar, mar is tric chì thu na *dolphins*. Mar a bha sinn a' dol nas fhaisge thuirt mi "*You will see some fins going through the water*" bhiodh sinn a' faicinn na sgiathan aca a' dol tron fhàirge. Bha làn dhùil agam gur e na *dolphins* a bha ann.

Thàinig sinn fèir rin taobh, leum brùid mhòr de *tuna* bhiodh 600 no 700 punnd ann, glan a-mach às an fhairge. Cha robh fhios agam dè chanainn.

Thàinig sinn air *tuna* eile a-mach mu chòig mile bho Boraraigh. Nuair a ràinig sin Hiort, bha sinn ga ràdh ri na eathraichean eile. Thuirt muinntir na Hearadh "Chunna' sinn an dearbh rud an-dè agus cha robh sinn a tuigsinn dè bh' ann".

Cha leig an *tuna* a leas a thighinn a-mach às a' mhuir idir. Bidh na *dolphins* a' tighinn an àirde a' gabhail anail. Ach bhiodh sinn gam faicinn a-mach 's a-steach bho na h-Eileanan…na h-Eileanan Flannach, nuair a bhiodh sinn a' giomadaireachd a-muigh an sin fad an t-seachdain.

'S e *sport* math a bhiodh annta. Tha iad a' dol mu 40 knot tron fhairge. Ach chan eil fhios de thachras le *Brexit*. Cha b' urrainn eathraichean Bhreatainn gin aca a *landadh* or cha robh *quota* aig Breatainn son tuna.

Iain Aonghas MacAmhlaigh a' bruidhinn ri Magaidh Nic a' Ghobhainn, 2020.

Tormod Dòmhnallach

Circibost

A' cur air falbh an èisg

Bhiodh smacanan a tighinn dhan a' Chaolas a seo uaireigin, a bha a' falbh le na giomaich, 's iad beò, 's gan toirt sìos a Shasainn.

'S ann nuair a thòisich na treànaichean a' tighinn suas a Cheann a Tuath Alba, air a sguir na smacanan a thighinn a-nuas an seo. Bhiodh pìos math mheud annta, ma thèid thu air ais gu Òran Chalum Sgàire, bha na soithichean sin a dol a-null dhan an t-Suain, dha na àiteachan sin, le iasg sàillte.

Bha tèab ghiomach aca ann an Circibost. Bha tòb beag aig Dòmhnall Thormoid Mhòir, ann an Gearraidh Chiribhaigh, mu choinneamh far a bheil an tòb ghiomach eile. Bha iad air an tòb a thogail mus tàinig iad a dh' fhuireach a Chircibost à Bostadh. Tha e an taobh an iar Loch Rìosag, ach 's e tòb beaga a bh' ann. Tòb Mhurchadh Mhoireasdan 's e bha an tòb mòr.

Nuair a bha na giomaich a' falbh às na tèab ann an seo, bha iad gan cur ann am bucais le feamainn 's gu math tric, nuair a ruigeadh iad an ceann-uidhe, gheibheadh iad litir dhearg a' cantainn gun robh iad air bàsachadh.

Bhathas a' stòraigeadh na giomaich às na tèab, gan iasgach air ais às an tòb a rithist, le clèibh. Bhathas a' gearradh na giomaich an uair sin, a' gearradh na h-ìnean aca, gus nach itheadh iad a chèile.

Ach bha iasgach langa agus iasgach trosg an seo uaireigin cuideachd. Bha bàtaichean na bu mhotha ann son sin a bhiodh a' tighinn gu na taighean-saillidh.

Tha *pier* an seo an Circibost, *pier* a' *Flying Fish* a bha air, far am biodh iad ga toirt air tìr air muir tràighe, son a peantadh.

Sin am bàta bu mhòtha a bha ann am Beàrnaraigh, bha còrr air tri fichead troigh innte agus tri siùil orra. Dhèanadh iad deugachadh de mhìltean anns an uair, a' tighinn a-steach anns a' chuan.

Tha pìos den a' bhallaist aice air a' *phier* fhathast. Bha grunn timcheall oirre Mackay 's Mackenzie, 's ann à Cullen a thàinig i. A' bhalaist a bha innte, 's e clachan dearg mar a chì thu air a' chost an ear. 'S bhiodh iad a' cur air tìr an langa ann am Barraglom, aig na taighean-saillidh.

An sglèat a chaidh air taigh Mhic Kenzie 's ann à Baile Chaolais a thàinig e. 'S e am *Flying Fish* a thug dhachaigh i. Cha mhòr nach robh eathar anns a h-uile teaghlach an uairsin nuair a bhathas a' giomadaireachd.

Comharran

Nuair a thòisicheadh iad ag obair air doimhne... bha comharran aca... nuair a bha iad a' lorg an grunn cruaidh, a-muigh mu dhà na trì mhìltean. Bhiodh iad a' gabhail nan comharran, 's mathaid cnoc air tìr, ann an lòidhne ri sgèir, rud dhan sheòrsa sin, ga loidhnigeadh an àirde, tuath 's deas agus comharran an uairsin bho iar 's an ear.

Bhiodh tu ag ionnsachadh nan comharran bho na daoine a bha a' dol a mach comh' riut. Fionnlagh is Niall Iain agus na daoine sin.

Tha cuimhne agam nuair a thòisich mi tràlaigeadh aig a' Ghallan. Dh' fheumadh tu Mol na h-Àirde a chumail fosgailte, neo bha thu a' dol a-null air muin, grunnd nan trolaichean, air a' ghrunnd chruaidh. Ach nan cumadh tu Mol na h-Àirde fosgailte, bha thu a' cumail a' ghlainne, a' ghainmeach.

Atharrachaidhean

Bha an t-iasg a gluasad a-mach deireadh *February*, an uair sin a h-uile tide mhara, a h-uile reothart thigeadh an iasg chun a' Ghallain, 's an uairsin dhan an Loch an Iar. An ath-reothart a-rithist dhan an Loch an Ear. Bha a h-uile càil aca sìos chun an latha.

Bha na seasanan an uairsin eadar-dhealaichte. Chan eil seasanan ann an-diugh. 'S e an aon seòrsa tìde a tha againn fad na bliadhna. An uair ud bha na seasanan...bha an Geamhradh agad, an t-Earrach an Samhradh is am Fòghar. Bhiodh fhios aca mar a bha an t-iasg a' gluasad.

Tha am mùir air blàthachadh agus an sìol gainmheach air gluasad gu tuath. Chan eil am biathadh aig an iasg, a-nis ann an seo, a bh' ann eadhon na mo latha-sa. Tha an t-iasg air gluasad gu tuath a' leantainn an sìol gainmheach, ach tha am muir air blàthachadh, chì thu sin ann an giomadaireachd. Tha na giomaich a' cur an t-slige tòir nas tràithe na b' àbhaist dhaibh.

Tormod Dòmhnallach a bruidhinn ri Magaidh Nic a Ghobhainn 2011

Finlay MacDonald
Port Circibost

Finlay at the age of eleven went fishing for the first time in the *Tobhtarol* boat around 1933. The boat had oars and a sail and they were fishing with small lines - *lion bheag*. Every house had a *lion bheag* and the seven men in the boat tied all their nets together. When they went to lift the nets, Finlay looked over the side of the boat with expectation, the first five nets were empty. The next net was half-full of fish and when it came to his own net, the seventh one, it had so much fish in it it was floating on the surface.

The crew landed on Eilean Vacasaigh and re-baited the nets with winkles (*faochagan*) and barnacles (*bàrnaich*). The shoal by then had gone but Finlay was hooked. The catch that day was lythe, haddock and eel. The fish was shared among the seven men in the boat and they took home what they could salt with the rest being shared among the villagers. Finlay reckons that if they had had deep freezers that this would have been at least "a year's supply of fish".

On leaving school Finlay fished with his brother Duncan in Gisla. Finlay's other brother Calum made creels for them. They all rowed out to lift the creels for the first time and Duncan insisted on taking the first lobster aboard. In his haste he caught it by the head and it dug its large claws into him. It attached itself to his finger and Duncan lost a lot of blood and they had to turn and head for home at once. After that Duncan was always very careful to catch lobsters by the tail.

After the war, Finlay worked at the fishing and eventually in 1965 he set sail from an Orkney boat- builders yard, with the *Mormina*, a boat built to his own specification.

Finlay fished until he was 65 and the boat was sold to Skye, where her name was changed. The boat returned to Orkney and was spotted by an eagle-eyed Bernera fisherman while he was on the over- 60s outing to Orkney in 2009.

Notes translated by Magaidh Smith from a Gaelic conversation with Finlay MacDonald, Kirkibost.

Fionnlagh Thormoid Dhol, 2010.

Agnes Maclennan
Circibost

Cow

Large sailing ships used to take fish from the Bernera curing houses to places as far as the Baltic. During months-long sea voyages, some of the bigger ships had a cow aboard to provide a fresh milk supply, which was believed to be protection against scurvy.

This custom, which must have spanned centuries, goes some way to explaining a place name in Kirkibost, *Leàna na Bà Mhanach* (Meadow of the Manx cow). This landmark has an associated story of the shipwreck of a boat from the Isle of Man. The ship's cow was taken ashore and expired in the field which bears her name to this day.

Bonnach Tobt'

In my great grandfather's day when the Bernera men were fishing, fresh white fish was the staple fare, accompanied sometimes by an interesting delicacy.

Raw fish liver was placed between two of the bannocks taken from home. This was placed on the thwart, under the men who were rowing. After some time, due to body heat and friction this tasty morsel, bonnach tobht', was ready to eat.

Boat supplies

In living memory, the Kirkibost boats were at sea for days at a time. They fished around *Cràigeam*, An *t-Seana Bheinn*, the Flannans, in the waters around Uig and as far as Harris.

The peats necessary for the fire to cook the crew's meals were placed in the creel on Saturday. The creel was left on a hillock ready to put on their backs on Sunday night after twelve o' clock.

They took plenty bannocks and homemade butter to ensure nourishment as they fished, weather permitting, until Friday or Saturday.

If the fishermen were at sea longer than anticipated, they had an agreement with villages on the west coast of Lewis whereby they could take peats from the peat banks and leave crabs, lobsters or fresh fish in exchange.

In one instance, young boys from one village, unaware of the agreed barter system, threw stones at the Bernera men as they made their way back to the boat with the peats.

Notes translated by Magaidh Smith from a Gaelic conversation with
Agnes MacLennan, Kirkibost
Agnes Dhòmhnaill a' Mhèister 2011.

Neil J MacAulay, Kirkibost

Port Circibost

My father was George MacAulay from Kirkibost, Great Bernera. Donald MacAulay, his brother, was fishing for lobsters with the *Màiri Dhonn*, before he went in for the ministry. Reverend Macaulay later became a councillor and Convener of Western Isles Council.

Niall Iain, another brother of my father, spent his life fishing out of Kirkibost with the *Star*, then the *Golden Chance*, and in the 1970s he built the *Astronaut*. Niall Iain was the one who taught me how to fish.

My father George MacAulay was a merchant, taking the lobsters from Great Bernera to Oban. Lobsters were packed in boxes on a lorry, across on the ferry, then by road to Oban or sometimes Inverness and then to Oban by train. It would take a couple of days for the lobsters to get to Oban and by then they needed a drink. The lobsters were returned to the sea water, in tanks down at Gallanach, near Oban. After a day or two in the water, they were sent by train to Billingsgate, the fish market in London.

Flying Lobsters

In the late 1950s nobody knew whether lobsters would survive a plane journey. At that time my father was friendly with Jimmy Logan of Loganair and he had started running a plane with the mail to Stornoway. He was only allowed to take the mail and nothing else, there were no seats in the plane.

My father asked Jimmy Logan if he would take some lobsters just to see whether they would survive the plane journey. He indicated he wasn't allowed to, but he would ask the Royal Mail as the plane went back empty to Glasgow. The Royal Mail said "No chance"

Anyway, they did an experiment. When the plane taxied out to the end of the runway, it went behind a big green shed, which couldn't be seen from the tower. The van was sent from Bernera with a few boxes of lobsters. It was parked behind the green shed as the plane slowly taxied out and they managed to put the boxes on the plane.

Radar wasn't very good in those days and they got the plane to land just outside Oban. The place is an airport now, but it was just a field then. Boxes of lobsters were hurriedly thrown out and the plane took off again.

This worked fine, that's how they found out the lobsters could fly. They did it a few times and eventually they filled the plane up, but inevitably somebody reported them. There was a big hullaballoo about it, but then the Royal Mail agreed they could do it.

They also discovered that you could not put lobsters in a plane if they had been caught in the previous two or three days, because their stomachs were still full of food and they got sick. So they put them in rafts at the pier, until they used up all the food in their stomach, The lobsters could fly no bother then. That put an end to the tanks in Oban. They could fly the lobsters from Stornoway to Glasgow and then on to London.

About 18 months ago (2018) the Chinese market started buying crab. The catch goes to Glasgow by lorry and then is loaded on to a large converted plane. Inside the plane, it wasn't tanks they had, but a kind of fog atmosphere, to keep the lobsters damp. The crab are in the market in China the next day.

In Days Gone By

The lobster pond in Loch Riosag was built a long time ago by Murdo Morrison, No. 4 Kirkibost. Murdo had gone to Australia and went into tin mining. He made quite a lot of money and on his return, he paid the local people to build the lobster pond wall. It is still there. Because it is made in a circle like a dam, the pressure of the water forces it together. It is an amazing wall, probably about 6 or 7 feet wide with massive big boulders in it.

The boats went alongside the pond at the end of the week and threw the lobsters into it. It is thought they kept up to 100 ton of lobster, in there at any one time. When the markets coincided with the weather and the ferries, they would lift them out really quickly and sent them all off to market.

That was the whole point of building the lobster pond in the first place. The fishermen were losing a lot of lobsters: if the weather was bad the ferries wouldn't be running and the lobsters would be stuck somewhere on their way to Billingsgate. The lobsters would be too long without water and die.

Factory on Kirkibost Pier built 1969

The big factory on the pier was built by my father in 1969. I think it was for herring, to make kippers That was where I used to work at the weekends when I was in school. They were really good kippers sold all over the country, *Hebrides Fish* it was called. The smell of kippers always takes me back to working as a boy in that factory.

Around 1976 the government banned herring fishing, so overnight those kippering factories had to go to something else, they started to bring in frozen Canadian herring and Pacific Salmon. They were shipping that over here frozen, and we were filleting and smoking it. The market then was France, Spain and the UK.

Then the factory began processing clams, taking the meat out of the shells, blast freezing them, glazing them with water, packing them in 5-kilo bags and shipping them away.

Around 1985 the factory was used as a crab-processing factory till the early 1990s. Then they were processing large volumes of whelks. They were boiled, blast frozen and packed before shipping in a frozen container to Korea.

We were smoking salmon at the factory, when we had the fish farm. I was there one day, when a car drew up, I thought it was the mafia. I thought it was a joke, that somebody had set me up. Two Italian guys got out saying they were from the Vatican. I thought this is a wind-up anyway. We gave them loads of smoked salmon samples and they said they would be in touch.

Sometime later, we got a fax from them. There were no computers in those days. The Italians said they had loved the salmon, that they had been round the West of Scotland tasting salmon products and they wanted more of ours. The upshot was we were supplying the Vatican with smoked salmon for 4 years until I sold the fish farm.

My Memories of Fishing from 1975

I left school when I was 15 in 1975 and went fishing with my uncle of a couple of years and on various other local boats. There were about 14 or 16 big boats fishing out of Kirkibost then: *Mormina SY128, Sir Lancelot, Golden Chance, Reliant, Dorna, Astronaut SY80, Sovereign, North Star, Wandering Star, Perseverance.* There were 3 or 4 crew on each of them. A lot of families depended on the fishing around here. My nephew Jamie is now the only person who is fishing full-time out of Bernera now (2020).

I ordered the first boat when I was seventeen, *Delta Dawn SY264*, a brand new boat build down on the River Taymar, Plymouth. It was launched when I was eighteen. When I was nineteen years old, I ordered the second boat with a grant from the old Highlands and Islands Development Board. It was *Delta Dawn 11* launched 2nd Nov 1980, built in Worcester, the first boat of that kind. It was launched on my twentieth birthday.

I was thirty when I got the *Delta Dawn 111*, October 1993, a big wooden hulled boat, built in Nobles, Girvan. It had a 25 ton sea water tank in it. It would keep the crab, lobster and crayfish alive till the end of the week, so we didn't have to come in to Kirkibost to put the catch in rafts.

The *Delta Dawn 111*, was equipped for trawling prawns and white fish in the winter, it was quieter in the Minch then, with those south westerlies. In early summer we fished with nets for crayfish. In late summer we fished with nets for dogfish.

Dog fishing is banned now. When we were fishing them we didn't realise they only came into shallow water to have their pups. That was the time we were catching them. They take about 15 years to grow to a good size. We were fishing all the way up the Westside to the Butt and out to the Flannans, some days we would get 150-200 boxes of dogfish.

The *Fishing News* described this boat as "The Rolls Royce of fishing boats". I had designed it to work all year round. That was the last of the fishing grants from the Highlands and Island Development Board, after that the Enterprise Board in Stornoway took over.

We had this big boat for almost 10 years. After 5 or 6 years I had a bad accident with that boat, I fell off the pier and smashed my head in. I didn't do much fishing for a while, although the boats were still fishing, with other people skippering for me.

The Catch 1970/80s

If you went back to when they were catching a lot of lobsters, the boats had probably only 250 creels. If you hauled them in the morning you would get 100 lobsters. Then they would haul them in the evening again and get 60 or 70 in the evening. That was back in 1970/80s. But now you need a 1000 creels to get 100 lobsters. Lobsters take 7 years in the wild just to come to the marketable size.

Prawns were different, we trawled prawns in the Minch. They reproduce every 6 or 8 months and they only take 9 months to a year to grow to market size. So prawns are reproducing all the time.

HIDB 1980s

When the Highlands and Islands Development Board built the factory at Breasclete, they made a bit of a mistake. The factory was for drying fish, but the fish had to be line caught. Nobody here did that, so they had to take in big boats from Norway. That's why the enterprise wasn't very successful.

New species

In 1981 /82 we were fishing out by the Old Hill we came to the end of the fleet, this day there was this thing there and we had no idea what it was. We towed it back to the pier and lifted it on to the pier with the crane. It was a leatherback turtle the first one ever recorded here, it weighed 1026 lbs.

That seemed to be the beginning of species you didn't normally see up here The next thing we were seeing was sail fish. It had a huge body with a massive fin like a shark's fin. But it didn't move when you went close to it.

Lobsters

The last few summers there seems to be more lobsters on the go. They don't know if that's because of the water getting warmer as the lobsters move more when it is warmer. When the water is cold, if the wind is in the north or north-east, you won't get that many lobsters

My father used to tell me that, when the wind went out to the north-east in the winter and they would try to get the lobsters out of the pond, they could see the lobsters, there were thousands of them. They would put those big cages in, normally the lobsters would just fly into the cage. But if the wind was in the north-east, the cage would be there full of bait and the lobsters wouldn't move, until the wind went back into the west or the south-west.

Some years ago down in the south coast of England there were low temperatures, very frosty, minus 10. After a fortnight of this cold weather, overnight there was a really bad storm with a massive swell and it washed all the lobsters up on the shore. They were filling the big salmon tubs with lobsters, picking them up from the shore. Because the temperature had been so low for so long the lobsters were just sitting there, and they were still in low-temperature mode when the waves came in.

I remember in the early 80s Hurricane Isa Dora. We had creels at the back of Uig in deep water, two miles off the shore. My cousin Iain Angus and I went out in the car in that storm. You could hardly get out of the car. We got a picture of the sea coming right over the Old Hill. It is 268 ft high and the spray was coming over the top of it.

After a week or so we went to get the creels and there was no sign of them. We went into *Bagh Chradhlastadh* for a cup of tea and there was this pile of rope, floating all over the place, this was the creels. They had come in two miles, in a lump the size of a large house.

Well that was the end of those creels. You just have to lick your wounds and go and buy more. At that time the creels were probably about £30 each They are nearly £100 each now.

Crab Market

The market for the crab started about 1982. Up till then we used to smash them on the gunwales... As there were so many crabs they would go into the creels before the lobsters, so we had to get rid of them all. We just never realised how many of them there were.

In 1982 we got a market for them down in Inverbervie on the East Coast, they started buying them off us and we started shipping them down on Colin Ossian's lorry.

When fishing for lobsters you fish for them on hard ground with rotten bait. If you are fishing for crabs it is off the hard ground, with fresh bait. With 200 creels you would get 4 tons of crabs a day. Colin Ossian's lorry was coming over every night and we were just landing them and they were shipped directly to Inverbervie for the next day.

The World comes to Bernera

Ever since I got the 2nd boat in 1980, we used to take birdwatchers out to the Flannan Isles. We began tourist trips in the summer when we were quiet. About 20 years ago we bought a Rigid Inflatable Boat RIB just specifically for doing tourist trips.

Last year at the end of the tourist season in September, in the morning we had a family from Alaska and in the afternoon a family from Australia. Two sides of the world coming to Bernera. I took the two groups round the Old Hill and Little Bernera and they were suitably impressed.

I have been taking a man out to the Flannans for the RSPB since 1982, to count the gannets and the puffins. I like going to the Flannans, it has never changed, it is just the way it was when the lighthouse keepers disappeared, its' a rugged place. You have got to be pretty fit to go ashore because there is always a rise and fall in the tide.

I have always had the RIBs. About 25 years ago I went off, on a jolly, to go around all the RIB manufacturers, to see which one I fancied. I reached this company in North Barr, in London. The proprietor knew I was coming, when I got there he was talking to someone else and he just told me to go into his office.

I sat down in his office, all around the walls were pictures of Little Bernera and The Old Hill. I couldn't believe it. When he came in to the office, I asked what his link was to Bernera. He said "We went there 3 or 4 years ago and we liked it so much we bought a house in Croir".

I said to him "I've come all this way down here and you stay in Croir?"

That was the RIB design I liked best. The company sell them all round the world, the coastguard use them, great safe sea-boats and I have had 4 or 5 of this company's RIBs.

Fish Farming Years

We were one of the first people to go into fish farming here. We didn't have much of a clue about it as it was new. I met a guy on the ferry and he worked in a hatchery in Inverpolly south of Ullapool and he told me about it. He said "You need to get into this, it's going to be the next big thing".

There were no computers then. So when I came home I phoned up the Highland and Islands Development Board in Inverness. They said they didn't know much about it.

At that time the parr had to go into the sea in April or May. Then in April, the man from Inverpolly rang and said "I have ten thousand fish here for you. You have to take them. Just make a cage from some wood and I have some old nets here I can give you"

Just at that time my wife and I were building the house and we had been saving up to get the wood for the roof. The wood arrived and I used the wood to make two cages, my wife wasn't very pleased.

So the young fish arrived, we put them in the cages and floated them out to where the site was. I phoned HIDB and said "I've got the fish, but I need some money to make proper cages" So those three guys in suits came off the Inverness plane. I picked them up and took them out to the sea site in a dingy.

They were standing on the cages and I went back to the boat to get a bag of feed. The railings were just made of fence posts and sacking, which had been for the roof of the house. They were leaning against that and the whole lot collapsed and they fell into the cage.

I had to fish them out and take them home to get dry clothes for them, before I put them back on the plane to Inverness. I thought, "That was a disaster, I will never see them again". A week later they sent a message, that they had an emergency meeting and they were going to give me some money to make proper cages before I drowned someone.

The first few years we were salmon farming, there was no disease or sea lice or anything and the fish came out and they were beautiful. We were so naïve, the seaweed was growing on the nets and we thought that was better, their own habitat, so we thought. But we were wrong, the nets have to be kept clean so that the flow of water goes through to oxygenate the water, we just didn't know what we were doing.

Another funny thing happened. We were putting nets over the top of the cage to stop the birds eating the fish and that worked fine. After about 5 or 6 weeks later, I went out to feed the fish and all the different kinds of birds: herons, cormorants, seagulls, all the birds that are usually working against each other to survive, had found out that if they sat in the middle of the net they weighted the net down and they could get to the fish through the net. It's amazing how nature always finds a way of survival.

If you look at all the fish farm cages today, they have a floating hexagonal thing in the middle of the cage that stops the net from going down. Once the birds found out, they were doing it on all the cages. Those birds are cleverer than you think.

Before farmed salmon was available, you would only get salmon in the summer when the wild salmon came in, so it was a pretty small market.

When I started fish farming, we were selling by the pound. We were getting between £2 and £3 a pound for salmon not even gutted, just thrown in the box.

Within 10 years it had gone from that, to kilos, then sometimes you were lucky if you got 90 pence a kilo. There were so many people producing so many salmon there wasn't enough market for it. By the time the early 90s came, the price had gone. I had sold the fish farm on just before the down turn came.

Mussel Farming

I had tried mussel farming, when I was in school I had a raft just below our house in Kirkibost. Getting the spat in the summer time, I was growing them on ropes and it worked well. But they grew so heavy that the raft, one day when I came home from school, had turned upside down.

Anyway I decided to try mussel farming again, I was going to put a cage in Loch Hamnaway and applied to the Crown Estate Commissioners for a couple of sites up there. There was no one living up there and I thought nobody would mind. Anyway the owner of Hamnaway Estate stopped me. In the end it went to the House of Commons and I got permission for the fish farm cage.

Mussel farming was fun, it was new and nobody had done it on a big scale. We started doing lines rather than rafts. The biggest problems we had was tying the barrels to the ropes.

Two lines of big thick ropes are joined together with the black barrels, you see some of those, just off the Bernera Bridge.

The 10-metre ropes go out in May /June. In July the spat comes along and sticks to the rope. As the mussels grow, getting heavier, you need to put more barrels on the rope to keep it afloat.

The first problem we had was when we went to harvest the mussels. The rope was thick with mussels and when we lifted it up with the crane, they all fell off before we could even get them into the boat, a nightmare, it was so close and yet so far.

We could see they were fine as long as they are in the water, but the weight of them pushing from above, pushed all the mussels below them off the rope.

We figured out that if we put wooden pegs across the rope at 90 degree angles, to create sections, it may keep the weight from bearing down. We sawed up some bits of wood to try it, it worked. Then we got special plastic pegs made which were inserted into the rope before it was put in the water. That's what is used on the mussel lines today.

The other problem was that originally the barrels were attached to the rope with bulldog clips. Due to the barrels constantly moving about, they were just breaking the rope after a while.

Eventually we got barrels made with a V in the end of them, so the big thick rope would fit in the V. We just had to invent everything we needed. There were three of us involved in fish farming: Peter Macleod from the Westside, Cree Mackenzie from Scalisgro Estate and myself, we all got together to address the barrel problem.

A man called McLaughlin was making fibreglass products like garage doors. We told him what we wanted and then he made these barrels. These are the ones the whole industry uses now. So we sorted that.

The other problem was: If you went diving underneath those ropes it was all mud, nothing lived there anyway. Because there were always mussels falling off the ropes with bad weather and that, you got this line of starfish living underneath the line. Huge starfish, just waiting for the food to come down.

If you hadn't put enough barrels on the line and it was under great strain, with the wind and the tide, the barrels would go under the water and implode. Once two or three barrels imploded it was a domino effect and the whole line would sink and you would have 80 tons of mussels lying on the line on the bottom of the sea. And those starfish, if you left the line for a week, they would eat the whole lot. You just had to keep an eye on the lines and add enough barrels

If the line did sink, there was a big knack to lifting the line. First of all we got this big grappling hook where you thought the line was. You then picked the line up with the crane. But you could only get it half-way up because it is so heavy. You tied barrels on it to float it, then you moved on to look for the next part of line and repeated the process.

Eventually you would manage to get it to the surface but all the barrels which had imploded, you had to replace. They cost £100 each. You would have to put brand new barrels on it, lifting it all the way up to the end of the rope, it could take up to a week. You would lose a lot of the mussels but that was just one of the things we had to learn.

At first, the reason we did not put so many barrels on was because the line is a coil and a half long. We would put 30 barrels on it to begin with, that's £3000 worth of barrels . It was to save money, as the mussels got bigger we were putting more on. Every now and again we wouldn't put enough on and a storm would come along and sink it. After once or twice of all that hassle, we made sure there were plenty of barrels on it. It was a learning curve.

We had mussel ropes at Tamnaway, the Bernera Bridge, Eilean Scarista along the coast here and one just before you come to Valtos.

Boats servicing Salmon and Mussel Farms

At that time, Scalisgro had fish farms and mussel ropes and they couldn't find enough people to do the boat work, so we bought a couple of 60 foot steel fishing boats. We took all the fishing gear off them and put big cranes on them. We got involved in all the sea site work, so we ended up working together on my mussel farms, Scalisgro mussel farms and Scalisgro fish farms (they had bought my fish farm) so I ended up servicing the cages which I used to own with the big steel boats. It worked out quite well together. But we always still had the fishing boats at the same time.

Fishing for young people

The problem for young people today, it is a hard life. You only get out of it what you put into it, having to work hard, long hours .If you like doing it and you work hard you can get good rewards out of it. It is good fun. It is difficult unless you were born and brought up with it. It would be very difficult for a 20-year old to say "I think I will go fishing".

I sold off most of the business and kept a couple of small fishing boats and the RIB. I now work for Calmac and when I see the youngsters there - holidays, pensions, time off, you don't get that if you are fishing. If you own a fishing boat, if you don't go out, you don't make any money. It is a different way of life altogether. Everybody wants to have their life organised today and have holidays and still get paid when they are on holidays. In other employment, if you go off sick, you get paid. Because of that, few young people want to do it.

For the younger people who were born and brought up with it, to me it wasn't a job. When I was about 12 or 13 when we were in school, myself and the rest of the boys in the village, we used to go out in the wee dinghies hauling creels. You grew up with the thing, you actually enjoyed doing it. You never looked at it as "Oh no, Monday morning, I have to go and do this". You wanted to go out because you loved doing it. It was great fun. It is in the people, it is in the blood. There are some people who do it just for a job, but they don't enjoy it as much as someone born and brought up with it.

When we were young the topic was always about boats, creels and lobsters. If you got a week off school when you were 14, you got a week out with my uncle Niall Iain. It was amazing, just brilliant.

I left school at 15 and didn't go to university and if I had my life, I would still do the same again. I did so many other different things as well. There was always something new to learn. We even built a small factory out there on the pier. When we had the fish farm, there was always new things to learn.

Fishing Licences

You get different licences for different sizes of boats and different fish and different areas. If you have an under-10-metre licence that covers everything: if you are going to fish for lobsters or crabs it has to have a shellfish entitlement, which adds more value to the licence.

Once you go over 10 metres, there are more rules and regulations and every licence has its own entitlement for species you can fish for. The more species on the licence the more expensive it is, but it is worked out by the tonnage of the boat and the horsepower of the boat.

The problem for young people going into fishing today, it is the same as buying houses, it is so expensive. If you are 20 and looking for half a million pounds in this day and age, it is not easy to borrow that kind of money from the banks. Plus there is no HIDB to give you grants anymore.

Brexit was probably good for fishing. Now we can make our own rules. Just now it is Brussels who make all the rules and not us. Once Brexit is tied up it will be us that make the rules. The rules that came out from Brussels up till now weren't for Scottish fishermen, they were for European fishermen. Those boats were allowed to come into our waters to fish. There were a lot of unfair rules, but hopefully that will change

Neil James MacAulay in conversation with Magaidh Smith, 2019.

Great Bernera Lobster Pond Letter

This letter by the late Roderick Morrison (1880-1937) is thought to have been written in the 1930s.

Roderick Morrison (1880-1937) *Ruaraidh Mhurchaidh Mhoireasdan*, was schoolmaster at Valtos Public School in Uig, Isle of Lewis for twenty years, interrupted for two years during the Great War when he joined the Seaforth Highlanders and served in France. Mr Morrison was later headmaster of Cross School in Ness, Isle of Lewis.

His father Murdo Morrison (1827-1908), Croir and then 4 Kirkibost, had the vision for the lobster pond and was instrumental in its construction. The pond at Tòb Blàr Meadha is thought to have been built in the 1870s.

The Lobster Industry in the Hebrides

Dear Sir

I was interested in an article which appeared in the Chamber's Journal and I can add somewhat to the writer's information on the subject. The writer claims the storage pond of lobsters at Cullipool, Luing, near Oban, as the only real sea-water pond in the kingdom.

In the island of Bernera, Loch Roag, Lewis, there is a well sheltered arm of the sea called Tòb Blàr Meadha, branching out from one of the wider indentations of the coast. A native of the island the late Murdo Morrison (my father) realising the excellent qualities of this inlet, as a storage pond for lobsters, got a substantial un-mortared stone dyke erected, near its outer end and so enclosed it.

It has served for lobster storage each winter for the last sixty years. He had travelled around the world and nowhere had he seen a lobster pond, nor had he heard of the existence of any. If one did exist at that time.

The dyke about 75 yards from end to end, is built at the narrowest part of the inlet. While the inner or landward end, is about 400 yards distant from the dyke. The pond has a depth of 4 fathoms of water at high tide and two when the tide is out. The sea water finding its way with the tide in and out through the dyke.

It has never been even remotely taxed for space in storing all the lobsters brought to it, from Breanish to the Butt of Lewis. I am not aware that the dyke has ever been repaired or needed repairs since it has been built. There were those who predicted failure for the venture. That the building of the dyke was just throwing money into the sea, but the subsequent years have amply proved the wisdom and his judgement.

The wider bay, off which the pond branches, offers excellent anchorage and landing facilities. Many a day as a lad, I was privileged to sit on the dyke with rod and line, as the sea flowed in through. I watched cod, saith, and lythe pass by in front of me, more often to my chagrin, taking no apparent notice of my baited hook, than being tempted to taste the savoury morsel so carefully concealed by barb and point.

Which shows that the fish even the cod, do not lack feeding in the pond. Flounders are fairly plentiful while sometimes gurnard and whiting are hooked. All variety of fish, lobster and crabs included, contained in the pond, approach the dyke when the sea is entering, but there is no corresponding collection of fishes outside, when the sea goes out. In fact seldom is a fish of any description seen near the outside of the dyke.

The lobster is a pugnacious creature but the Loch Roag lobster fisher, an expert at his trade, from the time that he sold his lobsters, at the rate of 3 pence each, is in the habit of cutting a certain fleshy part of the powerful claws, before letting the lobsters loose together in the box, which holds them until they are delivered at the storage pond, or forwarded to the market.

The damaging power of the claws is thus lessened, so that few casualties result from their being confined together after the cutting as it is called, though the cut heals rapidly a scar always remains. Cut lobsters can always be distinguished from one that has not been operated upon.

This distinction enabled the late Mr Morrison, once when questioned by a Fishery Board Commission as to his knowledge of the lobster and its habits. To give an idea of the time it took one to grow to a certain length. He knew the date on which cut lobsters were first put into the pond and also the date on which he first observed uncut lobsters there and concluded that the uncut lobsters were those that had developed from the spawn of those first placed in storage. The time thus arrived at, for a lobster to grow eight or nine inches long or market size, seemed surprisingly long. Uncut lobsters are being fished in the pond each season since they were first noticed, so that the lobster develops here as in the open sea. For nothing much bigger than spawn is able to pass through the thick dyke from without.

The rain water falling into it, the amount of any other kind entering is quite negligible, being of less density than the sea water, floats on the surface and soon passes with the tide through the dyke into the ocean.

Representative of English fishing traders have visited the pond at various times. A few years ago a representative of *Messrs Charles Saunders Ltd Fish Merchants*, South Hampton. This gentleman remarked that he had seen many a good lobster pond in Britain and on the continent, but none to approach the one he was viewing, in fact he said "I believe this is the best lobster pond in the world".

The late Lord Leverhulme when interested in the fishing industry around about Lewis, meant to develop the lobster fishing. After his agents had inspected the pond, he hoped to secure a storage centre for Lewis lobsters.

Out of their element, exposed to air and light lobsters are short-lived. But during the colder weather, when carefully packed in boxes they are fairly tenacious of life and reach Billingsate from Lewis usually in good marketable condition. The Bernera Fisher as a rule gets his lobster boxed for the London market early on Monday morning. Transport conditions preclude their arrival before the following Wednesday but the great majority of them are alive on arrival. The Billingsgate salesman is always careful to mention the number dead in a box when sending an account of the sale to the sender.

I have myself on occasion taken a lobster in a box across the Minch and by train to

Glasgow. It had been fully 30 hours out of the water. But when liberated from the box was able, on being tapped with a stick, to jump some inches above the floor. How long it could go on living or performing its antics was not tested as it was mercilessly or mercifully put into the pot.

Fish salesmen at one period, returned the empty lobster boxes to the sender and it is possible they still do. It is well known in Bernera that such a box forwarded from the island to Billingsgate on a Monday morning, was found on its return to sender, the following Saturday, to contain overlooked among the packing, a live Lobster

I am yours Roderick Morrison

The letter was contributed to the Rotal collection, by the Morrison family in 2020.

An Taobh Siar

An Taobh Siar or the West Side has a rugged coast in the face of the Atlantic, there are two fairly sheltered harbours at Breasclete and Carloway.

In other villages along the coast, the village boats in days gone by were moored between April and September and hauled ashore during the rest of the year.

Village boats which were registered could give a reference to young lads going to sea, to verify he already had experience of working on a boat. 'The Pool' in Glasgow was similar to a job centre, as they allocated berths for seamen and young island men going to sea for the first time.

'The Pool' once sent a letter to a man from Arnol asking whether 'his boat was a destroyer', as he had given so many Westside boys a reference.

Iain Knight Càrlabhagh

Bha ùidh mhòr agam anns an iasgach bho bha mi bha mi nam bhalach òg 'S e obair math fallain a tha san iasgach. Na mo bheachdsa chan eil obair nas fheàrr air an t-saoghal.

Calum Iain MacLeòid, Bràgair

An Taobh Siar

Bràgair anns na làithean a dh'fhalbh

Bhithinn a' cluinntinn gum biodh ochd no naoi bàtaichean le seòl anns a' phort ann am Bràgair. Bhiodh iad 's dòcha còig air fhichead troighean anns an drùim agus suas ri ochdnar de chriutha orra.

Bhiodh còigear no sianar mun an aon eathar agus *shares* aca innte. Tha cuimhne agam air tè aca, bha *share* aig m' athair, Iain Ruaraidh, Calum Iseabail agus feadhainn eile innte, bha i *local* leis na dhà no trì thaighean an seo fhèin.

Bhiodh na h-eathraichean air acair bho *April* suas gu *September*, an uair sin gan slaodadh suas air a' chladach. Tha a' *winch* a bhiodh aca gan tarraing suas a-staigh an-sin fhathast.

Nuair a bhios tràigh mhòr an earraich ann, chì thu clachan mòra, tha mi a' creidsinn gu bheil iad ceithir no còig a throighean a dh' fhaid annta agus tha iad *square*. Aithnichidh tu gun robh iad ag obrachadh a' chlach, a dèanamh slac anns a' mheadhan aca agus a' cur sèine oirre. The sèine air tè no dhà dha na clachan fhathast agus an uair a bhuaileas tu an t-sèine, tha i falbh às a chèile agus am broinn an cnap meirg tha sin, tha bìdeag bheag *steel* man snàthad air fhàgail.

Bhiodh iad a' toirt leotha teine anns na h-eathraichean, airson beagan còcaireachd fhad 's a bha iad ag iasgach, oir bhiodh iad a' fuireach air an eathar a-muigh air an oidhche. Bhiodh iad a' bruidhinn an seo air 'bonnach-tòin'. Tha e coltach gum biodh iad a' measgachadh àth èisg agus min-choirc' agus a' suidhe air. Rè ùine, bhiodh e a' bruich. Sin a chanadh iad ris, 'bonnach-tòin'.

'S e trosg agus langa a bhiodh iadsan ag iasgach. Bha taighean-sailleadh air a' chladach an seo uaireigin. Bhiodh iad a' tiormachadh a' bhiorach cuideachd agus bhiodh iad ag ràdh son a' bhiorach, airson a sailleadh, cha leigeadh tu leas ach fhàgail anns an t-uisge, airson dà thìde mhara. Air an splutadh *flat*, le clachan orra agus gheibheadh iad gu leòr salann airson an cruadhachadh.

Bha bodach uaireigin shìos an rathad an seo agus dh' fheumadh mìle èisg a bhith aige airson a' bhliadhna, oir bha teaghlach mòr aige, biorach chruaidh, langa chruaidh, no trosg cruaidh, airson a h-uile duine aca a chumail beò.

Bhiodh sinne a' crochadh nan cudaig agus nan saoidhean an seo agus gan tiormachadh. An-diugh ma gheibh mi trosg ceart, bidh sinn ga thiormachadh, agus bioraich. 'S e sin a bhiodh aig a h-uile duine aig a' mhòine uaireigin. 'S e *klipfisk* a bhios aca air an iasg air a thiormachadh ann an *Norway*.

Àrnol

Tha port ann an Àrnol cuideachd, bhiodh eathraichean air acair a-sin cuideachd agus iad ga slaodadh suas anns a' gheamhradh. Tha cuimhne agam a bhith sa *Fishery Office* ann an Steòrnabhagh. Sheall iad dhomh am preas mòr far an robh na *records* a' dol air ais gu tràth sna 1800an. Bha deugachadh de dh'eathraichean ann an Àrnol a bha *registered* mu mheadhan na 1800an.

Nis, bha dhà no trì eathraichean ann an Àrnol na mo latha, tha cuimhne agam air an *Skylark*, bha i sin *registered*. 'S e Calum MacLeod an sgiobair a bha oirre. Thug e dhomh litir nuair a chaidh mi dhan a' *Mherchant Navy*. Sgrìobh e litir dhomh agus thuirt e "Gun robh mise cuide ris airson bliadhna". Cha do shuidhe mi anns an eathar a-riamh!

Thug sin dhomhsa 6 mìosan *seatime*. Bha iad a' gabhail nan litrichean sin anns *a' Phool* ann an Glaschu. Mura faigheadh tu litir mar sin, dh' fheumadh tu dhol dhan *Training School* ann an Gravesend airson sia mìosan.

Bha Seumas 'An Tholastaidh à seo fhèin, bha am bàta acasan *registered*, bha e a' toirt uimhir de litrichean dha balaich a bha a' falbh dhan *Merchant Navy*. Fhuair e litir bhon *a' Phool* a' faighneachd "An e destroyer a bha aige?". Bha e air uimhir a litrichean a sgrìobhadh, bha fios aig muinntir *a' Phool* glè mhath dè bha a' dol.

Bradan

Bhiodh sinn a' faighinn bradan am Bràgair an seo uaireigin aig deireadh an t-seasain mu *August* is *September*. Bhithear ga sailleadh, a-mach mun àm sin, bha na bradain a' càll an t-saill. Gabhaidh iad tòrr salainn ach ghleidheadh tu iad son mìosan, ma tha thu ag iarraidh.

Nam biodh am bradan agad san t-salann airson seachdain, dh' fheumadh tu am fàgail dà oidhche ann an bùrn ùr, son beagan salainn a thoirt asta. Ghleidheadh tu iad airson mìosan, ach gum feumadh tu am bogadh mus bruicheadh tu iad.

A' chiad sailleadh tha thu toirt dhan a' bhradan, tha an salann a' slaodadh an fhuil às. Tha thu a' dòrtadh sin às, tha thu an uair sin a' cur piceil air. A dèanamh piceil cho fad' agus gun seòl bunàta ann agus tha thu a' cur a' bhradain air ais dhan a' phiceil a tha sin. Fuirichidh sin cho *clear* ri *gin* ged a bhiodh e ann son mìosan. Abair gu bheil e blasta nuair a bheir thu bogadh math dha, le buntàta dh' itheadh tu do mheòirean às a dhèidh.

An t-Iasgach

Thug mise deich bliadhna a' seòladh agus thòisich mi ag iasgach nuair a thàinig mi dhachaigh. Thog sinn an t-eathar *An Taobh Siar* le cuideachadh bhon HIDB (*Highlands and Island Development Board*). Bha i mu 28 troigh agus chaidh a togail ann an Scrabster ann an 1975. Thug sinn còig bliadhna ag obair air giomaich a-mach à Carlabhagh.

Mar a bha an seasan a' dol an uair sin, cha robh margaidh againn airson crùbag ann. Bha seàsan a' ghiomaich a' stad toiseach *June*. Chan fhaigheadh tu càil eadar meadhan *June* gu meadhan *August* ach bha e ag obrachadh math son a' bhradan.

Bhiodh bucais againn a d'aon mhàgh airson na giomaich, bucais fhiodh le tuill annta. Bhiodh doras air a' bhucas agus e air a cheangal dùinte le sreang.

Bhiodh sinn ga fàgail a' seòladh ann an Loch Chàrlabhaigh, àite fasgadh, ach am biodh tu cinnteach nach fhalbhadh am muir leatha. Dh'fheumadh iad a bhith a-muigh pìos, mar a tha cidhe Chàrlabhaigh tha tòrr bùirn ùir ann. Nam biodh iad a' seòladh agus gun tigeadh tuil dhan abhainn, bhàsaicheadh iad. Bha aon taobh de

Loch Chàrlabhaigh agus chan fhaiceadh tu bùrn ùr ann uair sam bith, 's ann air an taobh sin a bha sinn gan glèidheil.

Eathraichean

An 1980 chaidh sinne a-null a *Norway* agus thog sinn an *Siarach 1* (43 troigh). Chunna sin an *advert* anns a' *Ghazette* 's e Charles Engelbretsen an *agent* a bha aca an seo. 'S ann le airgead à *Norway* a chaidh a togail, rud air an robh *Export Finance*. Chuir sinn fhìn sìos 10 *per cent deposit*, ach a' chòrr den airgead 's ann à *Norway* a thàinig e. Bha thu ga phàigheadh air ais ann an Kroner, dh'fheumadh tu a bhith faiceallach, bha an nota a' dol sìos is suas. Ach aig deireadh a' chùis, nuair a reic sinn i ann an 1989, airson an ùine, bha sinn 10 *per cent* na b' fheàrr dheth, mar a chaidh an not an aghaidh an Kroner.

Nuair a bha i dà bhliadhna, chaidh sin a-null airson *free refit* agus 's e Klipfisk a bhiodh againn airson ar diathad, bha e na b' fheàrr na staoig.

Nuair a dheidheadh am *prawn* dheth ann an *April* ann an Steòrnabhagh, bhiodh sinn a' tighinn a-nall a Chàrlabhagh a dh'obair air iasg geal, adag agus cuidhteagan aig a' Ghallan an Ùig agus sìos chun an Sgairp agus am beul Loch a Ròg.

Bha an adag pailt, 's ann tron oidhche a bhiodh sinn ag obair orra, 's e grunn tana a bh' ann, cha robh toir doimhne ann. 'S iomadh triop a dheidheadh sinn a-mach aig aon uair deug agus a-staigh aig a' chidhe aig leth uair an dèidh uair, le trì fichead bucas againn ri chutadh. Bhiodh sinn ag obair air an sin, gan glanadh 's gan cutadh agus a' dol dhan leabaidh an uair sin.

Bha an t-iasg sin a' dol a dh'Obar Dheathain, bha sinn ag obair dhan a' *Fishermans Co-op*. Bha *manager* aca an uair sin agus dh'fhaighnich duineigin dha "Càit' an robh am bàta a bha seo a' faighinn na h-adagan?" agus dh'innse e dhaibh. Thàinig dà *pair-trawler* dhan an *area* far an robh sinn ag obair agus ghlan iad a-mach e. Bha iad a' faighinn còrr air ceud bucas anns a' *haul*. Ghlan iad a- mach e, ann an dhà na trì oidhche. Bhiodh e air a' chuis a dhèanamh dhuinne an dà mhìos a bhiodh sinn ann an Càrlabhagh.

Dheidheadh sinn an uair sin air ais a Steòrnabagh, thigeadh am prawn air ais dhan a' *Mhinch*, mu mheadhan *July* agus bha sinn a' *landadh* ann an Geàrrloch agus Loch an Inbhir.

Bha sinn eadar na *prawns* agus iasg geal airson grunn bhliadhnaichean. Chaidh sinn an uair sin gun a' chreachan, aig a' chreachain anns a' gheamhradh agus na *prawns* as t-samhradh.

Cha robh duine à Steòrnabhagh ag obair air creachain an uair ud, ged a bha bataichean Sgalpaigh. Nuair a thòisich sinne bha balaich Sgalpaigh glè mhath a' toirt *tips* dhuinn, mar a dh'fheumadh tu an *gear* a *sheteadh* an-àirde, a rèir dè an grunn air an robh thu. Le tòrr chlachan dh'fheumadh na *springs* agad a bhith *slack*, gus nach togadh tu cus chlachan, ma bha iad *tight* thogadh tu an t-uabhas chlachan.

Nuair a thòisich sinn, an rud leis an robh sinn ag iasgach, bha dà throigh gu leth de leathad ann, le *sword* le naoi fiaclan agus tha iad a' leum a-mach 's a-steach le na *springs*. Sin a bha againn airson deich bliadhna no barrachd, bha e trom air a' ghrunnd.

Chaidh sinn an uair sin gu *Enviro Dredge* agus cha robh sinn a' dèanamh càil ach a' diogladh grunnd na mara, bha naoi *tines* air, a h-uile gin aca air leth. Gheibheadh tu dhà no tri chlachan, ach cha robh e càil coltach ris an t-seann *gear* a bha againn, ach bha thu a' faighinn a cheart uimhir de chreachain agus nas fheàrr. Bha an t-ainm ceart air *Enviro Dredge*.

Thog sinn an *Siarach 11* (nas lugha na 50 troigh) shìos ann an *yard* Dunstun ann an Newcastle agus *Siarach III* (63 troigh), cheannaich sin an tè sin anns an *Isle of Man*, ach 's ann às a' Ghearmailt a bha esan a' toirt. Chaidh a togail ann an Hamburg, 's e *Mairisene* an t-ainm a bha oirre, tha e coltach gur e *Little Maria* a tha sin anns a' Ghearmailtis. Bha an t-ainm fon a' pheant ach dhèanadh tu a-mach e a dh' aindeoin cia mheud còta peant a chuireadh tu air.

An Cuan

Mu Mhàisgeir, a-mach à beul Loch a Ròg bha àite math an sin airson leòbag bhreac. Bha feadhainn aca mòr dha-rìribh agus bha e math airson adag cuideachd. Cha robh ann ach strup gainmheach a' cur car air a' chreig a bha seo, air grunnd na mara. Nan deidheadh tu ro fhaisg, bha thu a' dol a reubadh a' lìon air an *trawl*, ach nam faigheadh tu às leis, bha thu a' faighinn *shotaichean* math ann.

Air taobh a-muigh an t-Seann Bheinn dh'fhaodadh tu a' cur ann an sin, tha *channel* ann suas chun a' Ghallain. 'S e gainmheach a th' ann, tha e cruaidh air a thaobh a-muigh agus cruaidh air a thaobh a-staigh. Tha an gainmheach a tha seo mìle agus trì chairteal a-mach bhon a' Ghallan, tionndadh an sin agus dheidheadh sinn a-steach taobh an Riof. Nis', nuair a bha sinn a dol a-steach an sin cha deidheadh tu ann gus am fàsadh e dorch, bha e ro thana. Nuair a tha e tana, feumaidh e bhith rudeigin dorch airson an t-iasg a ghlacadh, nan deidheadh tu ann nuair a bha e soilleir, chan fhaigheadh tu càil, tha an t-iasg a' faicinn na lìn.

Na *tòbhaichean* a b' fheàrr aig a' Ghallan. A' chiad fhear nuair a bha e a' fàs dorch agus an tè bho dheireadh nuair a bha e a' fàs soilleir anns a' mhadainn. Sin an fheadhainn a b' fheàrr an-còmhnaidh. Nis', dhèanadh tu dhà eile agus 's e leth a gheibheadh tu às an tè sin, an taca ris a' chiad tè agus tè bho dheireadh.

Còmhraidhean

Bha *Decca* ann nuair a thòisich mise, bha na còmhraidhean air a dhol a mach à fasan. Ach nuair a thèid sinn a-mach à seo (Bràgair) bidh còmhraidhean againn. Nuair a thèid sinn a-mach à Port Bhràgair 's e an t-Seana Bheinn a' chiad comharra.

An ath-chomharra, 's e An t-Seana Bheinn ann an sgor, eadar dà bheinn ann an Ùig. Tha sin ga do thoirt a-mach gu dusan mile a-mach à seo (Bràgair). Tha àite eile ann, an dà bheinn, bidh thu an uair sin a-muigh fichead mile.

'S e an comharra as fhaide a-mach nuair a tha an t-eilean a dol air flod. Cha mhòr nach eil thu ga chall. Tha e dìreach mar gum biodh e a' seòladh air a' mhuir. Sin cho fada a-mach 's bhiodh iad a' dol leis na lìn mhòr son adagan agus truisg.

Ainmean

Bidh ainmean eadar-dhealaichte air na sgeirean a tha seo fhèin, chan e an aon ainm a bhios aig Muinntir Bheàrnaraigh idir.

Nuair a thòisich mise ag obair air giomaich a-mach à Càrlabhagh, bhithinn còmhla ri Niall Iain air an *Astronaut*, Flannigan, 's ann aige a bha an *Sea Harvester* agus Fionnlagh, 's ann aige a bha am *Mormina*.

Nise na balaich sin, nuair a thigeadh iad a-nuas a seo, cha bhiodh càil a dh' fhios agamsa dè na h-àitichean air an robh iad a' bruidhinn. An àite air am biodh Leac an Ròin aca, 's e Sgeir Mhaol a bhios againn oirre. Bha tè eile ris an canadh sinne Bogha Àrnoil agus 's e Na Langadairean a bhiodh acasan oirre. Bha ainmean eadar-dhealaichte air rudan.

Am port an-diugh

Tha a' chladach seo fhèin math son giomaich. Tha sinn eòlach air a' chladach ach cha bhi na bàtaichean eile a' tighinn a-steach ann idir. 'S e cladach gu math grànnda a th' ann, mar a bheil thu eòlach. Bidh sinn a' cur nan clèibh anns na h-àitichean sin.

Calum Iain MacLeòid a bruidhinn ri Magaidh Nic a' Ghobhainn 2021

Na Hearadh

In the Isle of Harris: Tarbert, An t-Òb (Leverburgh) and Stocanais are sheltered harbours today, but many villages had boats which landed in accessible places around the coast.

The *Constant Friend*, crewed by four brothers from Scadabay, was one of the last herring drifters around the coast of the Hebrides. The boat was bought in 1971, and after the herring ban in 1976 it was used as floating accommodation when the brothers went to work in the Arnish Fabrication Yard in Stornoway, an example of the diversification which island fishermen have embraced over generations when markets and legislation affected their livelihood.

The Scadabay Boat the Constant Friend

Murchadh MacAmhlaigh

Port An t-Òb

Fleòideabhaigh

Bhiodh mo sheanair Murchadh Thormoid à Geodha Crab aig iasgach an sgadain ann am Wick. Bhiodh m' athair Seonaidh ris an iasgach cuideachd.

Nuair a bha mi anns an sgoil, bhiodh sinn ag obair le lìn mhòr anns a' gheamhradh anns a' Mhinch a-mach a Fleòideabhagh, truisg 's langanan, bha iad gu math pailt an uair sin agus chan eil nì ann an diugh, tha air a sguabadh.

Bhiodh sinn ga sailleadh, ach cha bhiodh sinn gan tiormachadh idir. Thàinig am *power* mu mheadhan na leth cheudan agus bha *freezers* ann bhon uair sin agus cha robhas a' sailleadh na h-uimhir. Bhiodh sinn a' reic an èisg timcheall nam bailtean, 's dòcha gun deidheadh sinn a Bheàrnaraigh no Loch Na Madadh leis an iasg. À Fleòideabhagh bheireadh sin 's dòcha trì uairean a thìde a' dol a Bheàrnaraigh.

B' àbhaist dhomhsa a bhith a' gearradh feamainn, mi fhìn agus m' athair, an uair a bhiodh an t-iasgach *slack* le droch thìde, anns na 60an-70an, an uair a bha factaraidh Cheòis a' dol.

Mar a bha cuisean cho truagh aig toiseach na bliadhna seo fhèin (2020) mhol mi ga Kieran an ògha agam, e tòiseachadh a' gearradh na feamain airson cosnadh a thoirt dha agus tha e air tòiseachadh a' gearradh dha companaidh ann an Steòrnabhagh.

Nuair a bha mi nas òige, aig toiseach na 70an, bha mi a' dibheadh ann an Orkney, fhuair mi an uair sin obair air seine-net (iasg geal) ann an Scrabster airson sià mìosan. Chaidh mi an uair sin air bàta a-mach à Ceann Phàdraig.

Thill mi a Fhleòideabhagh agus bhithinn aig na giomaich fad na bliadhna. 'S ann air an Taobh an Iar a bha sinn ag iasgach a' chuid mòr den bhliadhna, a-mach à Abhainn Suidhe agus Àrd Àsaig, ach anns a' gheamhradh bha sinn a' dèanamh greiseag aig an taigh anns na Bàigh. Tha mi air a bhith ag iasgach an seo anns an t-Òb, bho chionn dà fhichead bliadhna.

An t-Iasgach

Tha deugachadh de dh'eathraichean air a bhith agam bho fhuair mi a' chiad tè. A chiad tè *Betina* thug mi i à Ceann Phàdraig ann an 1966, bha 27 troigh innte, agus bha sinn ag obair air giomaich agus beagan sgadain.

Bha an *Vanguard* againn 36 troighean, am *Brittania*, tè mhòr air an robh *Celtic Crusader*, ag obair aig na mùsgan-caola agus giomaich.

Thug sin ùine ag obair air na bioraich, thòisich sinn le dubhan (lion mhòra) mu mheadhan na 80an agus chaidh sinn an uair sin gu lìn.

'S mise an toiseach a thòisich a' cur *prawns* dha na *tubes* agus gan cumail beò. Mura cùm thu na *prawns* bho chèile, tha iad a' bìdeadh a chèile agus cha ghabh *bands* a chur orra.

Ron sin nuair a bha na *buyers* a' gabhail na *prawn* bho na h-eathraichean, dh'fheumadh iad a' cur air falbh an oidhche sin fhèin, ach thòisich mise gan cumail anns na *tubes* agus chumainn iad son seachdain no mìos.

Ach cha robh iad a' toirt dhuinn ach 20p an kilo a bharrachd, cha leigeadh iad a leas, bha fhios aca gu feumadh sinn an reic.

Chunnaic feadhainn à Fraserburgh an teans a bha anns na *tubes* agus ghabh iad uidh mhòr ann. Chaidh sinn a-null dhan Spàinn a choimhead airson margaidh prawns. Chaidh iadsan às a rìan nuair a chunnaic iad gum b' urrain dhuinn an cumail beò.

Ach na thàinig a-steach còmhla rinn à Fraserburgh, dh'fheuch iad ris a h-uile càil a chur air àdhart ro luath. Thug iad dà bhàta à Fraserburgh dhan Òb agus bha iad a' ruith le *prawns* dhan Spàinn, a' falbh às an T-Òb a La Coruna, sia latha a' *steamadh*, bha seo mu 1992-93.

Chaidh iad ro dhomhainn ann, agus chaill sinne air. Bha sinne air £70,000 a thoirt air bogsaichean agus chaidh sinne sìos. Bha na bogsaichean aig na iasgairean agus thòisich a h-uile duine a' dèanamh a chuid fhèin an uair sin. Thòisich na *buyers* a' ceannach agus na làraidhean gan tarraing. Sin an-diugh mar a tha a h-uile duine ga dhèanamh.

Thug mi sià bliadhna na mo sgiobair air *tug* a-mach à Dun Deagh a' ruith a Shealltainn agus Obar Dheathain. Thàinig mi dhachaigh bho chionn fichead bliadhna air ais chun iasgaich.

Suas gu meadhan na 1980s bha dìon againn air a' chladach an seo. Bha *three-mile limit* ann, bha sin a dèanamh sàbhaladh mòr air an iasgach, ach thug iad air falbh sin gu mi-fhortanach, a h-uile bliadhna tha e a' dol sìos bhon uair sin.

Anns na deich no deugachadh bhliadhnaichean a chaidh seachd, bha barrachd dha na balaich a' dol gu obair na h-ola agus dhan a' Chuan a Tuath agus cha robh e furasta criutha fhaighinn.

Tha sinn ag obair timcheall a' chladaich an seo fhèin, agus 's ann a-mach mun Sgarp a bha sinn an-uiridh. Bha *gear* againn aig tuath aig toiseach na bliadhna seo ach thug sinn air ais an seo fhèin e, eadar am *virus*, a bhith air ais is air adhart, an glasadh agus a h-uile càil a bh' ann, bha e na b' fhasa a-mach às an seo fhèin.

Tha ochd no naoi de dh'eathraichean ag iasgach a-mach às an t-Òb an dràsta. Chan eil e furasta dha daoine òga faighinn a-staigh dhan iasgach mar a tha cùisean. Tha an t-iasgach agus am maorach air a dhol air ais cho mòr.

Murchadh MacAmhlaigh a bruidhinn ri Magaidh Nic a Ghobhainn July 2020

Samaidh Moireasdan

Pòrt: Stocanais

Thug mo shean-sheanair Ruaraidh Nèill fichead bliadhna ann am *Patagonia*. Son an teaghlach a chumail fhads a bhiodh e aig an taigh an seo anns Na Hearadh, bhiodh e ag iasgach giomaich agus sgadan. Chaidh iad sgrìob, nam bodaich sin. Tha e a' sealltainn cho fortanach agus tha sinne, gu bheil cosnadh againn aig an doras.

Bha m' athair Niall ag iasgach, saoilidh mi gur ann mu na 1960s, bhiodh e ag obair air tìr mòr, air bàtaichean George Clarke às An Òban, agus aig fear Campbell ann an Lossiemouth air *seine netters*.

Fhuair e bàta an uair sin dha fhèin, *Virgin* an toiseach, an uair sin am *Vanguard* mu 1970, bha i sin 40 troigh. Thug e am bàta-sgadain an *Catherine* às a' Chaol mu 1973. 'S e *drift net* a bha oirre. Dhùin an uair sin an sgadan mu 1975/76. Rud a bhathas an dùil nach caitheadh am bith.

Chùm e am bàta an *Catherine*, bha i 55 troigh agus chaidh iad gu giomaich chun Taobh Siar (Na Hearadh) leatha. Chaidh mise còmhla ris air an *1984*, bha mo bhràthair Ruaraidh còmhla ris ron sin, bhiodh an triùir againn oirre.

Thòisich margaid airson crùbag an dèidh sin agus chaidh sinn chun a' Bhutt, ag obair a-mach à Steòrnabhagh. Chaidh an Catherine a *chonverteadh* a-rithist gu *trawl* airson nam prawns. Bha i againn sia bliadhna deug agus chaidh a reic na *tràlair* agus dh' fhan i ann an Steòrnabhagh.

Cheannaich sinne an *Lead Us* à Whitby, *tràlair* 55 troigh. Bhiodh sinn ag iasgach mu chladach Leòdhais, An Eilean Sgitheanach 's Na Hearadh.

Le eathar mòr dhan t-seòrsa ud, feumaidh criutha a bhith agad. Le cosgaisean am *fuel*, feumaidh i a bhith ag obair cruaidh, son na cosgaisean a tha na lùib. Bha an *Lead Us* againn, gu bho chionn còig bliadhna agus chaidh a reic suas ann an Steòrnabhagh agus dh' fhan i anns a' phort.

Thog sinn fhìn bata ùr thall ann an Èirinn, *Lead Us 11*, aig 35 troigh, son clèibh *prawns* agus giomaich. Bha e a' fàs doirbh criutha a chur air na bàtaichean mòra agus cha robh ach mi fhìn agus mo bhràthair air an tè ùr. *Fibreglass* a tha innte, chan eil tòrr obair ga cumail an òrdugh agus chan eil uallach oirnn airson criutha.

Tha sinn a-nis a-staigh a h-uile oidhche. Mar a bhiodh an *trawl* uaireigin, bha thu air falbh bho Diluain gu Dihaoine mar bu trice. Le na clèibh, cha bhi sinn a' dol nas fhaide às na 10-12 mìle gu deas às an seo.

Bidh sinn 'g obair na *prawns* fad a' gheamhraidh anns a' *Mhinch* agus ann an *April* thig sinn a-mach chun an Taobh Siar. Clèibh son giomaich 's crùbag an uairsin, a' dol suas gu Taobh Siar Leòdhais, suas cho fada ri Eilean Mhangurstaidh. Bidh am bàta air acair ann an Abhainn Suidhe aig an àm sin.

Tha am balach agam Niall, tha esan ag ràdh gu bheil e tighinn a dh'iasgach, bidh sin an treas ginealach làn-ùine aig an iasgach.

Tòb Ghiomaich Loch an t-Sàile

Tha Tòb Ghiomaich a-seo, ann an Loch an t-Sàile, air eilean ann an Caolas Stocanais. Chan eil fhios cuine a chaidh giomaich am toiseach ann, ach tha an teaghlach againn ga ruith bho chionn fichead bliadhna.

Tha an Tòb cho fada shuas anns an eilean, bhiodh daoine a' faicinn an tuil a' tighinn às, a' smaoineachadh gur e burn *fresh* a th' ann, ach 's e sàl a tha ann. Tha e gu math neo- àbhaisteach anns an dòigh sin.

Bha an *Crofters Supply Agency* ga ruith anns na 1950an agus bha m' athair ag obair ann. Bha dithis ag obair làn-ùine, a' cur na giomaich ann agus gan toirt às.

Bhiodh na giomaich a' tighinn às gach àite, bhiodh eadhon à Barraigh. 'S ann san dusan a bhiodh iad gan reic an uair sin, chan ann air a' phunnd no an *kilo*, chan eil fhios an robh meud a ghiomaich a' cunntadh a bharrachd.

Bhiodh an t-uamhas giomaich anns an Tòb agus bha luchd-saidheans na lùib. Bhiodh iad a' coimhead dè am biadh a bhiodh na giomaich a' feumachadh agus aig aon àm bhithear a' toirt rionnach dhan Tòb, airson na giomaich a chumail beò.

Bhathas ag iasgach na giomaich às, le sgaòilichean mar a chanadh iad. *Ringeanan* mòr agus bhiodh iad a' cur am biàthadh dhan an *ring* agus bhiodh na giomaich a' tighinn an- àirde, cha robh iad ach gan togail às an uair sin.

Bhiodh nam giomaich a' tighinn chun a' bhalla nuair a bhiodh an t-sàl a tighinn a steach, a' coinneachadh chun an oisein. Tha an loch fhèin domhainn, seachd no ochd aitheamh suas am meadhan aige.

Aig aon àm, bhiodh pleàna Dakota a' tighinn à Steòrnabhagh, a' togail na giomaich 's gan toirt a Holland.

Thug an tòb ùine bàn, nuair a sguir an *Crofters Supply Agency*, ach ghabh an teaghlach againn a-null e bhon *Chrown Estate*. Bha sinne an uair sin a' ceannach na giomaich bho na bàtaichean an seo fhèin agus bho tìr mòr. Gan toirt a-steach às Arcaibh, Ceann a Tuath Alba agus cho fada deas ri Tiriodh.

An Cidhe

Cha robh ach *jettys* bheaga cloich an seo. 'S e an Comhairle a chur an cidhe an seo, chaidh a' chiad pìos a chur ann tràth anns na 90an. Feumaidh mi ràdh gu bheil an Comhairle air a bhith glè mhath a' cur pìosan a bharrachd ris, *landing berth, fuelling berth, 's crane* agus chaidh *pontoons* ann bho chionn ghoirid.

Uaireigin bhiodh iad a' cartadh lìn, shìos ann An Sgrot, sin am bàgh beag anns a bheil an cidhe an-diugh. Aon uair a-riamh a chunna' mise iad a' cartadh 's ann nuair a bha mi glè òg. Feumaidh gun robh sin faisg air an àm a dhùin an sgadan (1976).

Mu na 2000an, bha mu chòig deug a bhàtaichean ag obair a-mach à seo, a' chuid as motha is ann à Leòdhas a bha iad a' tighinn. An-diugh chan eil ach 4 no 5 a bhàthaichean a-mach à seo. Tha sin fhèin a rèir an àm den bhliadhna, bidh iad a' tighinn agus a' falbh às.

Glèidhteachas

Tha an t-eathar againne ann an Abhainn Suidhe gu *October*. 'S e *Closed Area* dha clèibh a tha ann an dèidh sin, *Seasonal Closure* a chanas iad. Feumaidh sinn gluasad, no a' dol taobh a-muigh crìochan nan sia mìle. 'S ann son na *Crabbers* a chumail air falbh a tha seo, airson teans a thoirt dhan a' ghrunnd a tha a-staigh, gu *1st April*.

Tha e duilich a ràdh dè mar a tha an t-iasgach. An uair a chaidh mise suas à Steòrnabhagh ann an 1984, bhiodh mu 40 bàta as a' chidhe. Gach tè bho Taobh an Ear Leòdhais agus Na Hearadh, le triùir no ceathrar de chriutha orra.

Bhiodh iasgairean Taobh Siar Leòdhais, àitichean mar Circibost, bha iadsan a' fuireach thall an sin fhèin.

Nuair a chitheadh tu eathraichean Sgalpaigh bha e mar an *Royal Navy* a' dol a-mach. Sia dhiubh air sreath a-chèile, gach tè aca ùr, agus iad mu 60 troigh.

Atharrachaidhean

Chan eil càil aig duine againn mu chùisean a bhith ag atharrachadh, ach bha sin ann bho riamh. Ann an saoghal nam poileataics tha e a' toirt cho fada mus tèid càil atharrachadh, bhiodh na h-atharraichean air a thighinn agus air a dhol gu rudeigin eile, gun tuigse aca dha.

Chan eil deich bliadhna aig na h-iasgairean son a bhith ag atharrachadh, bidh sin ro fhadalach.

Tha iad a' bruidhinn air *global change*. Tha gnè bheathaichean a' falbh 's a' tighinn, tha iad a' fàs nas pailte, tha iad a' fàs nas gainne. Rud a dh'fhalbhas, thig rudeigin eile na h-àite.

Tha sinn a-nis aig an ìre, tha *squid* ann agus tha *tuna* ann agus chan eil cead aig duine à seo corrag a chur orra. Ach tha làn chead aig a' chòrr den t-saoghal a thighinn gan toirt às.

Cosnadh dha daoine òga

Saoilidh mi gum feum daoine òg a bhith sùbailte agus an inntinn fosgailte. Bho thòisich mi fhìn tha mi air a bhith aig crùbagan, giomaich agus *prawns*. Feumaidh tu a bhith a' dol chun an rud far a bheil thu fhèin a' smaoineachadh, far a bheil an rud as fheàrr. An aon rud ris na daoine a bha romhainn, bhiodh iad ag obair air lion mhòra agus ag obair air sgadan.

Ach tha tuathanas èisg ann a-nis, tha e a' toirt cosnadh dhan sgìre, ged a tha trioblaidean na lùib.

Bha mi a-riamh ag ràdh nach bithinn a' dùileachadh na balaich a dhol a dh'iasgach, ach tha Niall ag ràdh gu bheil e dol ga fheuchainn co-dhiù. Chan urrainn dhut ach an *teans* sin a thoirt dhaibh. Chan eil e son a h-uile duine ann. Ma tha thusa ag iarraidh do bheatha a bhith *steady*, gun càil mòr a' tachairt ann, chan e an iasgach a tha air do shon.

Chan eil càil air a ghealltainn, dè tha thu a' dol a dhèanamh seachdain gu seachdain, mìos gu mìos? Gu h-àraidh ma tha am bàta leat fhèin, tha uallach ort dè tha a' tachairt rithe agus a bheil i a' dèanamh cosnadh, no nach eil. Feumaidh tu a bhith inntinneach dhan obair, annad fhèin, ma tha thu a' dol a-mach le bàta. Cinnteach gu bheil thu a' dol a dh' fhaighinn cosnadh dhan a h-uile duine a tha còmhla riut.

Feumaidh tu bhith dìcheallach

Tha sinn a' fàgail an Roinn Eòrpa an-dràsta, ma gheibh sinn Riaghaltas a nì rudan toinisgeil. Chan eil fhios a bheil sinn a' falbh no a' tighinn le Riaghaltas na h-Alba. Tha iadsan a' bruidhinn air a dhol air ais dhan Roinn Eòrpa, air ais gu riaghailtean cumhang, chan e sin neo eisimealachd, na mo bheachd-sa. Mar a bheil iad a gabhail ri riaghailtean à Lunnainn, ach deònach an gabhail às an Roinn Eòrpa.

Tha sinn nar bùill de Chomann Iasgairean nan Eileanan Siar. Tha an neach-labhairt againn a' cumail ar beachdan riutha, agus chì sinn de thig às.

Samaidh Moireasdan a bruidhinn ri Magaidh Nic a Ghobhainn, 2020.

Dòmhnall Iain Dòmhnallach

Pòrt: Stocanais

'Sann à Caolas Stocanais, an Taobh an Ear, an taobh gruamach a tha mise. 'S ann a seòladh a bha mise, chan fhuiligeadh m' athair guth a chluinntinn air an iasgach.

Bhiodh mo sheanair ri iasgach an sgadain, bhiodh iad ag ràdh gur e sgadan a bha togail nan teaghlaichean. Bha bodach geur air a theanga a ràdh 'Cha robh diofar oirnne 's nach robh lann oirnn'.

Ged a bha mise a' seòladh, thill mi chun iasgaich agus an-diugh tha na balaich againn ag iasgach a mach à Steòrnabhagh (2019) leis an *Rival* agus an *Challenger* eadar Roghadal chun a' Chairbh.

Ach an uair a thàinig mise gu ìre, chan fhuiligeadh m' àthair guth a chluinntinn air an iasgach, bha bliadhnaichean gu math bochd air a bhith ann agus chaidh mi son *wireless*, agus thug mi dà bhliadhna deug a-mach à Liverpool. Bha mi san àird an ear, Astràlia, ceann a deas Aimeireaga agus New York tric. Rinn mi *passage* air an dà *Queen*, an *Queen Mary* agus an *Queen Elizabeth*, nam *phassenger*.

Thàinig mi an uair sin còmhla ri fear de mo chàirdean, bha bàta aige an *Kathleen* agus rinn mi dà bhliadhna còmhla ris a-mach à Steòrnabhagh, à Stocanais agus taobh an iar Na Hearadh aig sgadan agus aig clèibh mu 1971-73.

Bhiodh iad ag iasgach an sgadain le *drift net* air a' Bhanca againn fhèin (Banca nam Bàgh a chanadh na Sgalpaich ris) agus a' *landadh* ann an Steòrnabhagh. Bhiodh fichead aitheamh a dh'fhaide anns na lìn gu h-àrd agus naoi aitheamh a dhoimhne innte. Bhiodh sinn ag obair dà fhichead lìon agus dà fhichead puta, le còigear no sianar againn oirre an-còmhnaidh.

Airson na Bancannan, bha comharran aca, bhiodh a' bheinn ud air a' bheinn aig deas agus a' bheinn ud air a' bheinn ud eile, agus bha thu air druim a' bhanca. Dh'fheuchadh tu luaidh air pìos sreang, am biodh tu air druim a' bhanca.

Ach dh'fheumadh tu sùil a chumail a-mach, mas leigeadh tu cus buidhe rop le na lìn agus gun grèimicheadh iad gu h-ìosail mus stràcadh iad. Cha robh san lìon-sgadain ach cotan, gus an tàinig na tràlaichean mòr.

Na mo latha-sa, bha na h-einnseanan air a thighinn a-staigh. Ach 's e einnsean gun *reverse* a bha ann an dhà na trì dhiubh. An t-eathar bu mhotha an *Springing Well*, cheannaich iad à Sealltainn i agus cha robh einnsean innte. Ach na bodaich chòir ud, rinn iad meadhanach math aig an iasgach agus chur iad èinnsean innte, ach cha robh *reverse* idir air.

Bha an *shaft* a-mach air an taobh eile dhith, son nach biodh e anns an rathad airson cur na lìn. 'S e *Watt Boys* a bha oirre nuair a cheannaich iad i à Sealltainn. Cha chreid mi nach e *tragedy* a thug dha Na Hearadh i agus *shuft* iadsan an ainm aice, chun an *Springing Well*.

Sgadan

Stad gus an innse mi dhut, de an cuideam a tha ann am basgaid sgadan: sia clachan agus ceithir punnd. Bha ceithir dhiubh sin a' dol gu crann agus 's docha gum faigheadh...bha e sìos 's suas...gheibheadh tu 's dòcha còig notaichean an crann, anns a' gheamhradh.

Ach chunna' mi samhradh e a' dol às à riàn le prìs ann an Steòrnabhagh an uair nach robh ann ach beagan sgadain. Nuair a bha na càidsearan ga iarraidh son falbh leis na bhanaichean. Phàigheadh iadsan prìs mhath air.

Bha fèill air an sgadan an uair sin son a shailleadh. Bhiodh na bodaich againne ga splutadh son dèanamh cinnteach nach deidheadh e dheth. A dèanamh *ciopair* dheth agus ga shailleadh an uairsin, bha sin dhaibh pèin aig an taigh.

Àireamh nan eathraichean

Bha uair ann, nam faicinn *number* air eathar aon uair, bhiodh e agam air mo chuimhne. Tha mi an-diugh a' streap ri 83, ach fuirich gus an tèid mi air ais na mo bhalach aig naoi bliadhna...

Ann an Stocanais: SY 92 *Springing Well*, SY 412 *Dove*, SY 245 *Rose in June*, SY 287 *Roineaval*, SY 26 *Provider*, a bha aig m' *uncle* 's na daoine sin.

Ann an Sgalpaigh: SY 824, *A' Mhaighdean Hearach*, SY 371 *Rìbhinn Donn*, SY379 *Jasper*, SY 460 *Magdalena*, SY12 a' chiad eathar a bha aig Daibhidh Moireasdan, SY140 agus bha an uairsin an SY137 aige.

SY 297 *Remembrance* Fionnlagh Cunningham *An Try Again* aig athair agus fear eile. Cheannaich Fionnlagh a *Mallaig Cruach* agus thug athair air an *Scalpay Isle* a thoirt oirre, sin SY108. SY429 *Scalpay Isle 11*. Thog Fionnlagh tè ur, sin an SY19 *Scalpay Isle 111*

SY118 *An Constant Friend* à Scadabhaigh, sin an tè mu dheireadh a bha aig an *drift net*.

Thug mi greiseag innte nuair a bha mi aig an taigh bho sheòladh. Bha ceathrar bhràithrean oirre, Iain Mòr, John, Iain agus John Norman.

Dh' èigheadh tu sìos an *hatch* 'Are you there John?', 'Which one of us?', dh'èigheadh duine aca. Cheannaich iad an *Constant Friend* ann an 1971.

Herring Industry Board

Bhiodh ceithir eathraichean ag obair a-mach à Steòrnabhagh an uair sin leis an *drioft*, *An Seafarer* SY10 Murchadh Mharabhaig, *An Constant Friend* Scadabhaigh, sinn fhìn leis an *Kathleen* agus an *Sapphire* à Sgalpaigh, Na Cunninghams. Bhiodh sinn a' slaodadh a dh' Ulapul.

Thàinig na *Klondyers* goirid an dèidh sin. Mallachd orra, mhill iad a h-uile càil. Thug iad obair Sàbainn a-staigh.

Dh'fhàg mise an t-iasgach ann an 1974 agus thàinig mi an seo a dh'Ullapool chun an *Herring Industry Board*. Bha an *Herring Board* a' cumail riaghailt, *strict* agus cinnteach. A' dèanamh cinnteach nach biodh obair air cùl chinn a' dol.

Bhiodh iad a' faicinn gum biodh an tomhais ceart an am basgaid. Bha mi a' cunntadh seasan ann an Sealltainn, agus chunnt mi 106 crann. Ann an Sealltainn bha an sgadan nas gairbhe, bha e na bu mhotha, bhiodh 1000 sgadan ann an crann, sin 4 basgaid.

Bha tomhais fhèin air a' bhasgaid. Le sgadan nàdarrach bhiodh am basgaid sia clachan ceithir punnd, 88lbs, 40 kilogram.

Stocanais

Bhiodh iad a' toirt *cutch* bho na craobhan ann an Burma agus bha i aig a h-uile *agent* ga reic an uair ud. Bha iad a' cartadh na lìn chotan leatha.

Bhiodh iad a' goil biast de *bhoiler* agus a' bogadh nan lìn air am pasgadh ann. Tha mi a' smaoineachadh gur e dà mhionaid gus an deidheadh e dhan am *fabric* air fad.

Ann an Steòrnabhagh agus anns Na Hearadh bha àitichean aca air a dhèanamh suas, 's e àite-cartaidh a bhiodh aca air. Bha teine aca, b' e fiodh a bu teth, a dhèanadh an teine. Bhiodh àite ann an Stocanais, far a bheil an cidhe an-diugh agus dhà no tri àiteachan ann an Sgalpaigh.

Thòisich an *Scottish Office* air *Pond* son na giomaich ann an 1947 nuair a bha sinne nar balaich ann an 1948, bha 53,000 giomach anns a' *Phond*. Tha cuimhne agam a bhith a' gabhail iongnadh mu na h-eathraichean a thigeadh a nuas à Uibhist le giomaich, a' tadhal ann an Roghadal agus a' ceannach botal uisge-beatha.

Dòmhnall Iain Dòmhnallach a bruidhinn ri Magaidh Nic a' Ghobhainn, 2019.

It is good to be keeping the family tradition going and it is a good job, that you can turn it into your own business. There is a really good community in the fishing here in Leverburgh. 2020 has been a poor season, but I have begun to harvest seaweed now as well, that will keep things ticking over.

Kieran Macaulay

Ruairidh agus Niall Moireasdan Stocanais

Na Lochan

The Lochs district on the east side of Lewis has many sheltered sea lochs. Eishken, Marvig and Cromore were some of the busiest piers. Today, a fishing dynasty in Marvig have a busy boat-building yard, building smaller craft for use in the industry.

A Cromore account marks the end of the fishing boom in the 1950s and the dismantling of herring drifters for repurposing into fencing.

In Marvig, fishing was supplemented with fowling in earlier days, and fishing boats were abandoned for looms during peaks and troughs in the fishing from the 1950s.

From the port of Eishken at the head of Loch, there is a very detailed account of great lines and small lines used by generations until the 1970s.

There is also an in-depth account of the salmon hatchery on the Laxay River, which was once the largest hatchery in the Western Isles.

Aonghas R. MacAonghais

Port: Èisginn

Ann an 1972, dh'fhàg mi an sgoil air Dihaoine, an latha a bha mi còig deug. Thòisich mi ag iasgach Diluain, air eathar 'An Tosh', a-mach à Èisginn. 'S e an *Clan MacKenzie* a bha air an eathar, bha i mu 47 troighean agus bhiodh ceathrar againn oirre an uair sin. Bhiodh iad ag obair air clèibh ghiomaich, lìon-sgadain agus an lìon-mhòr.

Lìon mhòr

'S e sgadan am biathadh a bhiodh aca air an lìon-mhòr. Bhiodh an lìon-mhòr ann am basgaid agus bhiodh ceud dubhan anns a h-uile basgaid. Cha robh anns am drùim aice ach ròpa mu mheud do chorrag agus snòd timcheall air a h-uile tritheamh aitheamh. Cha robh an snòd cho garbh idir, bhiodh e mu leth *size* an ròpa a bhiodh anns an drùim. Bha snòd fhèin timcheall air slat a dh'fhàid le aon dubhan air a' cheann. Bhiodh *shank* an dubhain mu cheithir òirlich.

Nam bhiodh an sgadan mòr bha sinn a dèanamh trì pìosan dheth, ach ma 's e sgadan beag a bh' ann, a dhàrna leth. Bhiodh tu a' cur an dubhain tron an iasg, ga lùbadh suas 's ga chur an sàs anns a' cheann eile. Bhiodh an dubhan *covered* leis an iasg mar bu trice. Bhiodh sinn a' faighinn easgann, langa, trosg, agus sgait. Bhiodh sinn gan cur air grunnd cruaidh. Na seann iasgairean, bha marcaichean aca, na h-àitichean a b' fheàrr. A-mach bho cheann Eilean Leumrabhaigh agus mu Rudha Bhrollaim.

Bha e iongantach, 's dòcha gum faigheadh tu trosg neo langa agus mar bu chruaidhe a bha an talamh, 's dòcha gur e easgann a gheibheadh tu. Bhiodh sinn a' cur ma dheich basgaidean còmhla. Bhiodh sinn gan cur am beul na h-oidhche agus gan togail an ath-mhadainn.

Nam biodh cothrom agad tron latha, bhiodh tu ga bhiathadh agus ga chur air ais dhan a' bhasgaid, sin ma bha sgadan gu leòr ann. Bhiodh sinn gam biathadh fhad 's a bha *'An Tosh'* ann an Steòrnabhagh a' toirt an iasg chun a' Mhàrt.

Nise, basgaid an lìon-mhòr, bhiodh i na bu mhotha na basgaidean eile. Bhiodh sreath airc timcheall a' bheul aice. Bha thu a' cur nan dubhan an sàs anns an airc, ann an òrdugh, nan cuireadh tu tè ceàrr bha a h-uile càil a' dol troimh-chèile. 'S ann cruinn a bha na basgaidean, bha iad mu thrì troighean *diameter* agus dà throigh a dhoimhne.

Lion-Bheag

Nise, an lìon-bheag, 's e an aon seòrsa rud a bh' ann, ach bhiodh na dubhan nas lugha. Bhiodh mu dà òirleach an *shank* dubhan ann an lìon bheag.

Cuid dhan a bhiodh ag obair le lìon-bheag 's e feusgainn a bhiodh iad a' cur oirre son am biathadh, ach bha cuid ag *usigeadh* iasg.

Leis an lìon-bheag bhiodh iad a' faighinn adag, cuidhteag, langa agus trosg. Bhiodh an lìon-bheag anns an aon seòrsa basgaid, ach gun robh i beagan nas lugha agus bha airc timcheall am beul aice anns an aon dòigh.

Aonghas R. MacAonghais a bruidhinn ri Magaidh Nic a Ghobhainn, 2017.

'Dolishan'- Dòmhnall MacLeòid

(a rugadh ann an 1932) Pòrt: Marbhig

Aois 14

Thoisich mi ag iasgach nuair a bha mi 14, nuair a dh'fhàg mi an sgoil. Bhiodh mu dhusan cliabh agam dhomh fhìn, 's docha gum faigheadh tu dusan giomach. Bhithinn gan cur gu Billingsgate. Gan cur air falbh à Steòrnabhagh, cha robh an uair ud ann ach bus Mitchell. A-null an Stòr an *steamair*. Bhiodh iad an sin, gus am falbhadh an *steamair* aig dà-reug a dh'oidhche.

Anns a' Chaol, chuireadh iad air an trèana iad agus 's mathaid gum biodh iad dà latha no barrachd mus ruigeadh iad a' mhargaidh ann am Billingsgate, ann an Lunnainn. Cha ghleidheadh na giomaich an-còmhnaidh, a' dol sìos cho fada, bhiodh tòrr aca a' bàsachadh. Cha bhiodh sinn a' tòiseachadh air na giomaich gu faisg air *October*, gus am fàsadh an tìde fuar.

An obair

Bhiodh sinn ag iasgach an sgadain as t-samhradh a' tòiseachadh air an *10th of May*, a-mach gu deireadh *August*, no toiseach *September*. Bhiodh sinn an uair sin a' toirt greiseig air tìr. Na giomaich airson sia seachdainean, an uair sin iasgach a' gheamhraidh ag obair sna lochan. A h-uile loch a bh' ann suas gu deas gu lèir, Grabhair, Leumrabhagh agus Brollam.

Bhiodh sin a' fàgail na lìn greiseig, a' cur a-mach acair. Mun àm tighinn an latha, bhiodh sin a' tòiseachadh ga tarraing. Bhiodh a h-uile duine à seo ag iasgach an uair ud. 'S e còigear dhaoine bu lugha a bhiodh a' dol a-mach air eathar. Dh'fheumadh tu còignear co-dhiù no sianar, cha robh na h-eathraichean ro mhòr. Rud a bh' ann, bha iad seann fhasanta, bha iad a' gleidheadh na seann *times* a bha ann uaireigin.

Na Sgalpaich a-nis, bha iad rud beag nas *modern* thòisich iad le *ring net*. Dh'fheumadh an sgadan a bhith an-àirde gun deich aitheamh bhon a' ghrunnd mus ruigeadh an *ring net* oirre, cha robh iad domhainn idir. Cha chreid mi gun robh aon *ring netter* a-mach à Steòrnabhagh. Bha iad taobh Na Hearadh is ann an Sgalpaigh. Rinn iad glè mhath ag obair air an sgadan anns na lochan, a' dol a-null a Gheàrrloch 's dhan a' Chaol, 's a Mhalaig *a landadh* an sgadain.

Deireadh a' chogaidh

Nuair a thàinig na daoine dhachaigh às dèidh a' chogaidh (1945) cha robh càil aca. Bha sgadan gu leòr ann, ach cha robh iad a' faighinn but prìs air càil. Tron a' chogadh bhiodh *'Control Price'* air a h-uile càil. San spot a sguir an cogadh dh'fhalbh sin. Cha robh prìs air càil agus chaidh a' mhargaidh *flat*. Lean e a' dol polla mar sineach. Bho dheireadh thòisich iad *a' landadh* gu *fishmeal*.

Bha feadhainn bhon *East Coast*, bha iad a' dol a-mach à Steòrnabhagh gu beul an locha, is a' lìonadh na h-eathraichean làn sgadain, cho làn sa ghabhadh agus ga thoirt a-steach airson *fishmeal*. Bho dheireadh bha *fishmeal* Steòrnabhaigh làn. Tunnaichean de sgadan ga *dhumpadh* timcheall, bha fàileadh uabhasach ann. Chan fhaigheadh iad ann an Steòrnabhagh air na h-uinneagan fhosgladh le fàileadh loibhte an sgadain. Bha e dìreach uabhasach.

A' reic sgadain

Bhiodh ceithear basgaidean ann an crann, bha tòrr sgadain an sin. Chan fhaigheadh tu ach deich tasdan air ceithear basgaidean, air crann. Ghabhadh basgaid *hundredweight agus bha* 4 *hundredweight* a' falbh son 50p. Bha ciùrairean a' tighinn timcheall agus bheireadh iadsan is docha not, *a pound a cran.*

Bhiodh na càidsearan ann an Steòrnabhagh a' ceannach sgadain agus a' dol timcheall nam bailtean leis. Cha robh iad a' fàgail baile nach robh iad a' ruith air agus cha bhiodh càil aca ach sgadan. Bha daoine an uair ud uabhasach geur air sgadan.

Ged a bhiodh sgadan gu leòr aca anns na taighean a bha seo, bhiodh iad a' dol chun a' chàidseir co- dhiù. Eile fhios agad dè bu choireach? Ach am faigheadh iad a-mach de bhiodh aig na h-eathraichean. Bha an càidsear a dol chun na h-eathraichean agus bha fhios aige nuair a bha e a' tighinn an taobh-sa, dè bha aig a h-uile h-eathar, bha na daoine a' tighinn ann air sgath sineach. Bha iad a' dol a cheannach sgadain, cha robh *phones* ann an uair ud.

Bhiodh sinn a' falbh à seo feasgar Diluain agus cha robh thu a' tighinn dhachaigh gu feasgar Disathairne, ann an Ceann a Bhàigh, mar Cailleach-oidhche. A' dol a mach air an oidhche, a-steach anns a' mhadainn, a' *landadh* aig ochd uairean. Dh' fheumadh na càidsearan tighinn a-steach mu shia uair sa mhadainn. Dh'fheumadh iad a bhith *clear* mus tigeadh na *buyerean* timcheall. Bhiodh an *sale* a' tòiseachadh aig ochd uairean anns a' mhart.

Bhiodh feadhainn Cailean Neilidh ann, e fhèin is a bhalach, cha robh bùth aca an uair ud ann. Bhiodh iadsan a' dèanamh am baile. Bha *crowd* eich 's cairt a tighinn a-steach, cha robh iadsan a' dol ro fhad' às ann. Cha bhiodh càil aca ach sgadan. An t-iasg eile, dh'fheumadh e bhith air a sgoltadh ach an sgadan bha e mar a thigeadh e às a' bhucas.

Bhiodh agad ri *harbour dues* a phàigheadh dhan an *Harbour Board* ach nuair a bha càidsearan a tighinn a-steach, bha iad a' toirt air falbh an sgadain agus cha robh an *Harbour Board* a' faighinn càil às.

Bha thu a' faighinn *cash*, b' e sin an '*stoker*'. Chan fhaigheadh tu a' chòrr ach sin fhèin. Bhiodh an *stoker* air a roinn air a' chriutha. Mise, bhithinn na mo chòcaire ann, gheibhinn rud beag air choireigin.

Bhiodh sinn a' dèanamh cunntas, b' e bhiodh aca air, s*quare up*, a h-uile sia mìosan. Cha robh thu a' faighinn airgead ach a h-uile sia mìosan. Cha robh. Dad. Bha sinn beò air dòigh air choireigin.

Dh'fheumadh rud beag a bhith agad. Gheibheadh tu na *groceries* gus an dèanadh tu an cunntas. Gheibheadh tu a h-uile càil eile a bha dhith ort. Bha thu air do phàigheadh aig deireadh an t-seàsain.

Nis', bha thu faighinn rud beag bhon a chà*idsear*, dh'fheumadh tu sin a thoirt dhachaigh leat, airson a ghleidheadh airson rud beaga a cheannaicheadh tu a bheireadh tu dhachaigh son an *weekend*. Dheidheadh tu chun a' bhuidseir a cheannach rud beag air choireigin.

Nis', nuair a bha thu a' dèanamh 'square up', 's e na Brusaich... 's e iad a bha a' dèanamh sin, 's e an *salesman* a bh' ann an uair sin. 'S ann aigesan a bha na leabhraichean, bha fhios aige air na *landings* agad gu lèir.

Bhiodh e nas lugha na mìle not. A' chiad rud, bha thu a' dol a phàigheadh an grosair, am bùidsear, a h-uile duine dhan sin. Aig toiseach an t-sèasain cha bhiodh rud agam a gheibheadh bòtannan neo oilisgin. Bha sinn a' faighinn sin bho chuideigin eile, is dh'fheumadh tu am fear sin a phàigheadh.

Air a cheann bho dheireadh, a' dol dhachaigh, cha mhòr gun robh agad na gheibheadh lof. Sin mar a bha an t-iasgach uaireigin, cha robh bud airgid aig duine a bha seo.

Dùnadh an sgadain

Dhùin iad an t-iasgach buileach an uair sin, an rud bu mhiosa a thachair a-riamh. Bhiodh sin mu 1949-50. Cha chreid mi nach robh e dùinte seachd no ochd a bhliadhnaichean.

Sin an rud gòrach a rinn iad, 's iad a' smaoineachadh nan dùnadh iad an t-iasgach, gum biodh e math dha-rìribh nuair a thòisicheadh iad air ais.

'S e bu chòir dhaibh a bhith air a dhèanamh *quota* beag a thoirt dha na h-eathraichean, an uair sin chumadh e na ceannaichean an seo fhèin. Cha b' urrainn dha na *East Coasters* a thighinn a-steach ann, dh'fheumadh iadsan lod uabhasach de sgadan a thoirt air tìr mus pàigheadh e dhaibh.

Na h-eathraichean beag a bha seo fhèin, dhèanadh iad a' chuis air a' *qhuota* glè mhath. Bheireadh e dhaibh beagan cosnadh agus gheibheadh iad cuidhteas den sgadan. Cha do rinn iad sin ge-ta. An aon àite a chùm iad a' dol 's e *An Clyde*. Bha àite aca dhaibh pèin agus chùm iad *quota* beag is chùm iad an t-iasgach a dol.

Ach dè thachair nuair a bha an ùine an-àirde airson an sgadan fhosgladh air ais? Chan fhaodadh tu aon sgadan a thoirt air tìr, gheibheadh tu do mhì-thalamh. Chan fhaigheadh tu *fry* neo càil, bha e dìreach uabhasach.

Chaidh feadhainn à Leumrabhagh a-mach. Bhiodh iad a' dol a-mach uaireannan a dh'fhaighinn bucas sgadain agus ga roinn eadar a h-uile duine a bh' ann, ga roinn am measg *crowd* aca. Chaidh an *reportadh* agus cha robh aca ach bucas.

Bha a h-uile duine a bha ann an Steòrnabhagh: *Fishery Officer*, *Police* an '*whole shebang*' a-bhos. Chaidh an *chargeadh*. Nuair a chaidh a' chùis gu cùirt, nuair a chuala an siorraidh an rud a bh' ann, *chastaig* e a h-uile càil. Seachdain no dhà an dèidh sineach, dh' fhosgail iad an t-iasgach a-rithist. Dh' fhaodadh duine sam bith a dhol a-mach an uair sin a dh'fhaighinn sgadain.

Bha a h-uile h-àite làn sgadain, ach cha robh ceannaichean ann, cha robh *kippering* ann, is cha robh dad ann. Thòisich am *fish meal* air ais. Cha robh muinntir Steòrnabhaigh ag iarraidh an fhàileadh ud a-rithist, bha iad fiadhaich.

Fhuair iad *quota* an uair sin. Thòisich iad ga thoirt an uair sin chun a' chost an ear. Bha iad a' *lodaigeadh* an seo is ga thoirt a Fraserburgh, agus e a' dol gu '*fishmeal*' ann an sineach.

Cha robh eathraichean an seo an uairsin, thàinig air na h-eathraichean a bha seo sguir. Cha robh air fhàgail ann an Steòrnabhagh ach timcheall air trì eathraichean.

Bha eathar againne an *Strenuous*, bha an *Sea Farer* aig Murchadh Aonghais Dhòmhnaill agus an *Constant Friend* anns Na Hearadh. Thàinig orm tòiseachadh a' fighe an uairsin.

Tràlaigeadh son Prawn

Greiseig an dèidh sin thòisich iad a' toirt seachad airgead air son tràlaigeadh. Bha am *prawn* an uair sin a' tòiseachadh a' tighinn air adhart. Cha robh mòran ag obair air an seo ach dhà na trì, *East Coasters* bha iad a' faighinn meall math *prawn* an uair sin. Cha robh daoine a-riamh ag iasgach *prawn* an seo. A' chiad duine a thàinig a steach a-seo le *prawn* bho chionn fhada, chan itheadh duine iad. Bha iad gam feuchainn, gan *dumpadh*, cha robh ciall sam bith aca gun gabhadh *prawn* ithe idir.

Fhuair iad an uair sin eathraichean 50 *footers* no 60 *footers*, eathraichean math airson tràlaigeadh *prawn*. Bha iad a' faighinn seann iasgair bhon *East Coast* a bha eòlach air tràlaigeadh, 's bha e a' dol a-mach còmhla riutha, gan ionnsachadh airson grunn sheachdainean, agus ga fhàgail aca fhèin an uair sin.

Thòisich iad tè bho thè agus bha grunn mu dheireadh ann an Steòrnabhagh, Nis agus Sgalpaigh. Nuair a sguir iad dhan sgadan leis an *ring net*, chur iad *trawl* orra agus thòisich iad a' tràlaigeadh airson a' *phrawn*. Thug sinn polla air agus bho dheireadh dh'fhàs e gann mar a h-uile càil eile.

Rionnach an-diugh

Bha mi a-muigh an-diugh, sia rionnach, sin uireas a fhuair mi. Chan eil fhios agam an e falbh a tha air a dhèanamh no dè. Tha uaireannan agus tha e a' *clearigeadh* a-mach chun an doimhne. 'S thig e a-steach gun a' chladach a-rithist. Tha e a' crochadh air dè an sruth a th' ann agus dè an tìde mhara a th' ann. Tha an rionnach a' falbh as dèidh sìol, a' leantainn an t-sìol. Tha an t-iasg a *spanigeadh* agus tha na h-uighean an ceann-polla, a' dol nan sìol agus timcheall air òirleach no òirleach gu leth a dh' fhaid ann.

Tha sinn a' falbh le na cliathan. Tha an rionnach a tighinn a-steach a *dh' fheedigeadh* air an sineach. Nuair a dh'fhàsadh an sìol rud beag mòr, tha e a' dol gu an doimhne a-mach, is tha an rionnach a' falbh a-mach às a dhèidh.

Na h-Eileanan (Na h-Eileanan Mòra)

Nis' na peileagan, na sgairbh agus na sùlairean, tha iadsan a' *feedigeadh* air an rionnach cuideachd. Tha na h-Eileanan làn eòin, *guillemots* is *puffins*, tha iad sin a' *feedigeadh* air an t-sìol. Nuair a tha cnap aca, tha iad a' cur a sìol cruinn, ga chruinneachadh, is an uair sin a' *feedigeadh* air.

Tòrr 's e iseanan a th' ann, an athair 's màthair 's na h-iseanan. Tha iad a' *feedigeadh* mu na h-Eileanan Mòra. Tha iad a' tighinn an seo a *dh'fheedigeadh*, bidh gu *October*. Bidh iad an uair sin a' falbh, chan eil fhios càite a bheil iad a' dol. Chan fhaic thu gin aca tuilleadh. Aon uair 's gun tig an droch thìde tha iadsan *clear*. Tha iad a' falbh a *dh'fheedigeadh* a dh'àite air choireigin eile. Ach tha iad a' tighinn a neadachadh gu na h-Eileanan Mòra.

An uair a bha an t-eathar eile agam, bhithinn a' dol a-mach an sin a dh'iasgach airson giomaich gu na h-Eileanan, a' dol a-mach a h-uile dàrna latha. Bhiodh an t-eathar ann an Leumrabhagh, 's e a b' fhaisge a' dol a-null à Leumrabhagh, uair a thìde a bhiodh sinn a' dol a mach gu na h-Eileanan à sin.

Bha mi-fhìn 's fear eile a-muigh aig na h-Eileanan aon latha. Thàinig am fear seo a-null le *dinghy* aige. Thuirt mi ris 'Cò às am mì-thalamh a thàinig thu? Cionnas a fhuair thu a-mach chun na h-Eileanan leis an eathar bheag tha seo?'

Thuirt e bho dheireadh. 'Och, 's ann leam fhìn a tha na h-eileanan'.

'Hod *nonsense*', thuirt mi ris 'Chan ann leat a tha na h-Eileanan, 's ann a tha na h-Eileanan leis an *Trust*'.

'*Oh no*' ars' esan ' 'S ann leamsa a tha na h-Eileanan'.

Cha robh fhios againn, ach fhuair sinn a-mach gur ann. Cha robh sinn air tòiseachadh a' tarraing an uair sin. "Thoirt dhomh dhà no trì giomaich", thuirt e gun robh *guests* air choireigin gu bhith aige an oidhche sin.

Na rodain air na h-Eileanan bha iad *protected*, feadhainn dhiubh, bha iad gu math pailt, thàinig iad à eathar a thàinig air tìr an sineach. Bha i làn rodain agus thàinig na rodain air tìr.

Bho chionn dà bhliadhna air ais, bhiodh iad ag ràdh gun robh na rodain a' marbhadh na h-eòin, bhiodh iad ann an sin, bha na h-eòin a' fàs gann ann. Thòisich iad air *cull* air na rodain agus mharbh iad na rodain gu lèir.

Bha taigh beag eadar an dà eilean, dh'fheumadh iad mullach crog an t-simileir a dhùnadh, bhiodh na rodain a' dol sìos an crog, a' dol a-steach a dh'ithe a h-uile càil a bha a-staigh san taigh. Chuir iad puinnsean a-steach ann an *tubes*, chan fhaigheadh na h-eòin thuige.

Tha na h-eòin a tighinn an siudach a *bhreedigeadh, t*ha iad anns na càirn. Tha tuill aig na buthaidean anns an talamh. Chan eil aca ach aon isean.

Bhiodh daoine a' dol a-mach à seo agus às na bailtean seo gu lèir, a' dol a dh' fhaighinn gugaichean air na h-Eileanan. 'S ann mus do rugadh mise a bha sin.

Bhiodh an t-eathar a' dol a-mach is bhiodh iad a' cur làmh a-steach dhan toll airson breith air a' bhuthaid. Chuireadh a' bhuthaid a-mach an ugh roimhe, gus nach fhalbhadh tu leis fhèin.

Bhiodh iad a' marbhadh a' bhuthaid. Bhiodh sreang mu mheadhan, bha e a' briseadh an amhaich aca, bhiodh iad a' cur an ceann aca a-steach fon t-sreang. Nuair a bhiodh meall aca anns an t-sreang bha iad a' dol sìos gan cur ann an eathar no ann am poc. Bhiodh siud a' dol a-riamh a-seo.

A' chiad triop a chaidh mi a-mach dha na h-Eileanan an sineach, bha gunna aig a h-uile duine, bha sinn a dol a dh'fhaighinn buthaidean, a' dol a dh'fhaighinn tòrr aca. Thàinig sinn dhachaigh is dh' fhaighnich m' athair dhomh "An tug thu dhachaigh buthaidean idir?

"Hod! Bha na buthaidean cho beag, cha b' urrainn dhuinne tòiseachadh air am marbhadh". Bha iad a' coimhead cho *pathetic*.

Ach 's e *delicacy* a tha annta, bha e a' seallltainn air a' phrògram ann an sin air an teilidh bho chionn ghoirid. Tha iad gan ithe ann an *Iceland*. Faodaidh iad fhathast a dhol gam marbhadh an sin. Tha slat mhòr aige le lìon mhòr air a' cheann agus ma thig *puffin* faisg, tha e a' breith air, 's a briseadh an amhaich aige. An uair a bhiodh *crowd* aige bha e gan toirt dhachaigh.

Bha e an uair sin gam feannadh 's cha robh e a' gleidheadh càil ach bìdeag beag dhan a' bhroilleach aige, a' cur sin an *tray* mhòr. Bha e a' còrdadh riutha math dha-rìribh. 'S e aon duine aig an robh cead a dhèanamh agus chan fhaodadh e marbhadh ach na h-uimhir. Chan fhaod thu am marbhadh an seo, tha a h-uile càil *protected*. Bha uaireigin agus dh' fhaodadh tu isean gu leòr a mharbhadh.

Obair an Sasainn

Bhithinn-sa a' dèanamh tòrr ann an eathraichean dhaoine eile, air *ring-netters* agus *trawlers*. Bhithinn a' dol sìos a Shasainn a dh'iasgach ann an Whitby, Scarborough is na h-àitichean sin. Thug mi grunn bhliadhnaichean còmhla ri soitheach à Avoch. Bhithinn polla ag obair air *ring-net* air a' *Chlyde*. Bha mi timcheall air 17 agus thàinig an t-eathar seo a-steach à Geàrrloch, bha e a' coimhead airson dithis de chriutha. Chaidh mi fhìn agus Fido innte.

National Service

Thug mi air an eathar sin, gus an tàinig orm falbh dhan arm, *National Service*, ach robh càil agam mu dheidhinn. Bha mi seachdain *late* mus do thionndaidh mi an-àirde. 'S iad a' dol a chur *Police Escort* air mo thòir. Sìos a dh'Aldershot an uair sin, nuair a ràinig mi *barracks*, bha na truaghain bhochd air a *pharade ground* air an *driligeadh* air ais 's air adhart.

An till mi air ais neo 'face the music', dè nì mi? Bho dheireadh lorg mi an oifigear a bha *charge* ann is dh' innse mi dha. Thuirt mi ris "gun robh mi *stranded* anns an *Atlantic* air eilean agus nach fhaighinn às". *Well*, cha b' urrain dha càil a dhèanamh mu dheidhinn.

Cha robh sinn a' faighinn ach *80 pence* anns an t-seachdain. Sin am pàigheadh a bh' againn. Dh' fheumadh tu *Blanco*, is a h-uile càil a cheannach a-mach à sineach. Bha e uabhasach agus bha thu air do *dhriligeadh* gu bàis.

Cha robh mi ann ach polla beag nuair a fhuair mi *transfer* a-mach gu Singapore is Malaya. Chòrd sin rium math dha-rìribh. Cha robh cùisean cho teann oirnn. Bha sinn ann airson bliadhna gu leth, fhad 's a bha mi thall an sin, chaidh *National Service* an-àirde gu dà bhliadhna. Thug mi trì bliadhna gu leth anns an *Reserve*. Bhiodh seo mu 1950, tha mi a' creidsinn.

Iasgach is Breabadaireachd

Thòisich mi ag iasgach an uair sin air ais. Bha m' athair air eathar fhaighinn. Thug mi polla eile agus chaidh an t-iasgach *flat* an seo. Cha robh but iasgach a' dol, *landaig* mi ann an Invergordon, chaidh mi dhan an *Smelter*. Thug mi bliadhna gu leth ag obair ann, *joba* salach, bha na *lungs* agad làn sgàrd.

Bha a' bhean còmhla rium agus fhuair sin council house ann an *Alness*. Mu dheireadh chur mi a-steach mo *notice* gun robh mi a' dèanamh às. Thàinig mi dhachaigh agus cha robh cùisean a-riamh cho math. Bha fighe gu leòr ann, cha b' urrainn dhut cumail ris agus bha iasgach gu leòr ann cuideachd.

Chaidh mi chun a' mhuilinn a dh' fhaicinn am faighinn clò, bha sin Dihaoine.

Disathairne, bha dà chlò aig a' *mhàil*. Cha robh a' bheart air a bhith a' dol bho chionn bliadhnaichean. Thàinig orm tòiseachadh ris a' bheart fhaighinn a dhol agus chan fhaighinn air cumail riutha.

An uair ud bha trì clòithtean ann an *issue*. Nuair a bhiodh na muilnean a' dol air *holidays*, thigeadh trì muilnean, bha sin naoi clòithtean air an rathad agam. Bha mi ag iasgach còmhla ri sin. Bha dùil agam beagan giomaich fhaighinn fhad 's a bhiodh na *holidays* aig na muilnean, mu dheireadh thuirt mi rium fhìn *finished*.

Bhiodh mi fhìn 's am balach a' dol a dh'iasgach a' chiad leth dhan latha, nuair a thiginn dhachaigh bha clòithean a' fuireach rium.

Bhiodh làraidh ann 'Have you finished the tweed yet? It is urgent'.

'Hioraidh, *I haven't even put it in the loom yet*'. Dh' fheumainn an uair sin a bhith ag obair gu reùgan. Air a cheann bho dheireadh, bha mi a' fàs aosta, cha sheasainn ris.

Bha dà eathar agam a bha rudeigin aosta, reic mi na dhà, is dh'òrdaich mi tè ùr à Caithness, tè *brand new*. Sin an rud a b' fheàrr a rinn mi a-riamh. Bhithinn a' toirt naoi mìosan ag obair air giomaich air am Taobh Siar, a' chòrr dhan a' bhliadhna ag obair anns a' Mhinch air crùbagan.

Reic nan Giomach

Bhiodh sinn gan cur gu Goat Island, thòisich *Youngs* gan ceannach. Cha robh a' phrìs glè mhòr ach bhiodh tu a' faighinn an cuideim, sin a bha a' cunntadh. Nan cuireadh tu iad air falbh gu Billingsgate cha robh thu a' faighinn cuideam ann. Thòisich *Youngs* a' ceannach crùbag cuideachd, 's ann an uair sin a thòisich na làraidhean a' tighinn às an Spàinn.

Bhiodh feadhainn aca ain-diadhaidh. Bhiodh iad a' tighinn an seo agus cha robh duine aca a' bruidhinn Beurla. Tòrr aca, bhiodh *case* làn *cash* aca. *Crooks* uabhasach. 'S e *pesetas* a bhiodh sinn a' faighinn. Cha robh *Euros* ann, an uair a bheireadh sinn nam *pesetas* dhan a' bhanca, bha sinn a' call dona orra. Cha ghabhadh sinn a' chòrr *pesetas* bhuapa tuilleadh.

Nuair a chaidh iad dhan a' *Chommon Market* sguir na Spàinnich a thighinn. Dh' fheumadh *agent* a bhith aca às an rìoghachd seo mus fhaigheadh iad air na làraidhean a thoirt a-steach.

Tha barrachd *demand* an-diugh air stuth, chan eil fhios dè thachras an dèidh seo le Brexit. Tha barrachd làraidhean ann na tha ann de dh'eathraichean. *Demand* uabhasach, tha sin a' fàgail nam prìsean math.

Ach, 's e an rud nach eil eathraichean ann. Seall Loch Sealg, bha còig na sia de dh'eathraichean a- mach à Èisginn, bha meall math de *phrawn* ann an uair sin. Thòisich tè bho thè a' falbh, tha am *prawn* a' fàs gann.

Chan eil fhios agam de thachras ma dh'fhalbhas sinn às an *European Union*. 'S ann an siud a bha sinn a' reic a h-uile càil, ann an *Europe*. Chan eil mòran *market* anns an rìoghachd-sa ann. *Prawns*, an t-iasg, a h-uile dad a bha sinn a' faighinn, 's ann a *Europe* a bha e a' dol. Làraidhean a' dol a Mhadrid, margaidean mòra ann. Dè tha a' dol a thachair a-nis? Bidh *tariffs* oirre agus rud eile, tha na *checkpoints* shìos aig Dover agus air an taobh eile, tòrr *paperwork* aca ri fhaighinn an siud agus an seo. 'S mathaid gum bi iad dà latha a' fuireach son faighinn troimhe. Bidh a h-uile càil anns na làraidhean marbh. *Perishable goods* mura faigh na làraidhean troimh, *ciuthaichean*, mìltean làraidhean agus *paperwork*. Bidh iad ann an *ciutha* sìos gu mu leth Shasainn. Tha cùisean uabhasach an-dràsta mar a tha e. Tha e gu math *dodgy*. Dè tha a' dol a thachairt?

Tha an t-eathar agam ann an Leumrabhagh, bidh mi a' dol a-mach leatha corr' uair a' dol a-mach a dh'fhaighinn *fry*. Bidh mi a' faighinn beagan iasg, sgleòtagan, rud sam bith a tha a' dol agus tòiseachadh gan toirt seachd ann an Leumrabhagh. 'S caomh leam a bhith a' toirt seachad iasg. Tha tòrr dhaoine an seo agus tha iad a' fàs aosta, chan eil iad fhèin fut airson a dhol a dh' iasgach ann.

'Dolishan' aois 87, a' bruidhinn ri Magaidh Nic a' Ghobhainn, 2019.

Murchadh Aonghais Dhòmhnaill

Pòrt Marbhig

Thòisich mi ag iasgach le lìon bheag 's bhiodh sinn a' faighinn adag 's cuidhteagan. Le lìon mhòr bhiodh sinn a' faighinn truisg, langa agus sgaitean.

Leis a' bhàta mhòr bhiodh sinn ag iasgach le lion-mhòr ann am *February* agus *March*, a' dèanamh obair an earraich an uair sin, a' peantadh agus a' cur lìn ann an òrdugh, mus tòisicheadh iasgach an t-samhraidh air an *10th of May*. Bhiodh sinn aig an sgadan gum biodh e deiseil ann an *September*. Bhiodh mìos dheth againn an uair sin airson obair an fhoghair, an uair sin iasgach geamhraidh, iasgach Shasainn ann deireadh *October, November*.

Chaidh mi aon uair a Yarmouth airson deich seachdainean, chaidh mi ann mus do thòisich an t-iasgach geamhraidh aig an taigh. Thug mi ùine air bataichean a' Bhruaich, Ceann Phàdraig agus Nairn nuair nach biodh sinn fhìn a-muigh leis an eathar.

Bhiodh an lìon mhòr ann am basgaid le 100 dubhan ann am basgaid, 1500 *hooks* oirre. Smaoinich air am biathadh a bha sin a h-uile latha. A' cur nan lìn mu dhà uair sa mhadainn agus gan togail mas tigeadh an latha, gu trì uairean feasgar. Cha bhiodh againn ach muga teatha anns an ùine sin. A' gabhail diathad nuair a sguireadh sinn a' tarraing, agus a' *steamaigeadh* a Steòrnabhagh mar bu trice.

Tha cuimhne agam, cheannaich sinn eathar bho fhear à Badachro agus bha e anns a' chùmhnant gum faigheadh e an t-eathar airson aon seàsan eile, ann an *February*. Ghabh sinn ris an sin, ach gum feumadh an criutha againn fhìn a bhith oirre.

Bha sinn ag iasgach an ucas ann an *February* le lìn ghrunnda le *weight* orra agus bàla glainne airson an cumail an-àirde. Gheibheadh sin falamair na chois, an uair sin lùigheannan agus truisg an dèidh sin.

Comharran

1) Bha aon bheinn air an robh an *Sugar Loaf* air cùl Loch an Inbhir agus dh'fheumadh sin a bhith ann an loidhne ri Eilean Handaidh. 'S e '*stack over Handa*' a bha aig na Bucaich air. Feadhainn an *seine net*, dh' innseadh iad far am faca iad sgadan '*Over stack over Handa*'. Sin comharra tac', mar a chanadh na bodaich.

2) A-mach à Tabhaigh anns a' gheamhradh, nam biodh Tabhaigh air Roineval

3) Mach à Pabail, Beinn Bharbhais agus a' Chearc, tuath no deas air an sin a rèir an tìde mhara.

4) Nan dèanadh tu *line-up* air Solas an Tiùmpan, air Portvoller, bha sin na chomharra againn.

Glasagan

Aon seachdain agus sinn a' sgoltadh, ghlèidh sinn na glasagan. Chan fhuiligeadh iad mòran làimhseachadh neo *bhurstadh* iad. B' àbhaist dhuinn a bhith *a' landadh* ann an Geàrrloch. Ach an turas seo, nan deidheadh sinn dhan a' Chaol, bha sinn a' dol a

Murchadh Aonghais Dhòmhnaill à Maribhig

dh'fhaighinn sia sgillinn a bharrachd air a' chlach orra. Bha 80 clach de ghlasagan, *cod roe* againn. Ged a bha iasgach dà latha an sin, ma fhuair sinn na sia sgillinn a bharrachd, chosg sinn e ann am *fuel*.

Sgadan

Far an robh na sùlairean bha sgadan. Bhiodh na cearbain 's na mucan-mara nan comharran gun robh sgadan ann cuideachd.

Mus tàinig na h-*Echo Sounders*, chitheadh sinn an ola air uachdar na mara, air sgàth gun robh na h-eòin a' cruinneachadh ann. Bhiodh na faoileagan Hiortach ag òl an ola, chitheadh tu iad a' cur an gob ann, an dràsta 's a-rithist. Comharraidhean nàdar a chur An Crùithear dhan fhairge.

Bha ceithir basgaidean ann an crann an uair sin, bha sia bucas ann an crann. Bha sgadan mòr aig Na h-Eileanan Mora agus cha ghabhadh na basgaidean ach dusan *score* aca, iasg mòr. Cha robh e a' seasamh fada.

Bhiodh sinn a' leantainn an iasgaich gu Rubha Tòlstaidh, Am Butt, An Stòr agus Eilean Handaidh agus *a' landadh* ann an Ulapul. Bha *diary* againn, bha an sgadan a' tighinn aig an aon àm a h-uile bliadhna.

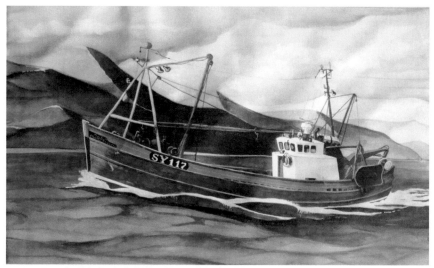

An Sea Farer bata balaich Aonghais Dòmhnaill

Herring Ban

Bha an *Herring Ban* ann mu 1976. Bha iad gan bheachd ma bha thu ag iasgach le *driftnet*, bha iad ag ràdh gun robh thu ag iasgach a' bhradain. Bhiodh an MP, Dòmhnall Stiùbhart, Sandy Matheson cuideachd a' bruidhinn às leth nan iasgairean an seo, ann an *Holyrood House*.

Ag innse dhaibh nach glacadh lìn sgadan, bradan idir. Bha na *scientists* ag ràdh gun robh cus sgadain air a ghlacadh. Thug an t-eathar again, an *Seafarer,* bliadhna air an acair an seo.

'S e an *Seafarer* agus an *Constant Friend* à Scadabhaigh na dhà mu dheireadh a bha ag iasgach an sgadain a-mach à Steòrnabhagh.

An *catch* bu mhotha a-riamh, thug sinn 118 *cran* à Loch Èireasort mu choinneimh Crò Mòr agus 100 *cran* às an Loch a Tuath. A' fàgail Loch Seaforth agus a' *steamaigeadh* a Steòrnabhagh airson ceithear no còig uairean a thìde. Bhiodh mu fhichead bàta ann, bha e mar baile le solais.

A' chiad triop a chaidh mi a-steach a Kylesku, thuirt sgiobair an Scalpay Isle '*Flaisigidh* mise na *searchlights* tarsainn air an eilean, cùm tuath air an sin'. Sin a rinn mi, thàinig mi a-steach air cùl an eilein dhan a' bhàgh agus bha na h-eathraichean eile le na solais ann an sin. Bha sinn a' tighinn a dh'iarraidh an sgadain a bha an còrr acasan air a' *quota.*

Bhiodh balaich Sgalpaigh air na *ring netters* glè mhath dhuinne. Nuair a bhiodh iad làn, chuireadh iad fios oirnn air *a wireless*. Aon uair *steamaig* sinn a Kylesku, bha iadsan thairis air a *quota*, cha do chur sinn lìon agus thill sinn làn sgadain.

Far an robh grunnd tana cha dèanadh na *ring netters* càil dheth. 'S e *drift nets* a bha againn. Bhiodh 40-45 lìon againn air bòrd. Bhiodh iad fichead aitheamh a dh'fhaid agus sia aitheamh a dhoimhne.

Lion mhor le Murchadh Aonghais Dhòmhnaill

Nuair a bha sinn aon samhradh air ceann a tuath a' Bhanc, deas air Sgalpaigh, tha *ridge* dà mhìle dheug an sin agus bha tòrr sgadain ann.

Air oidhche bhreàgha air a' Bhanc ann an Sgalpaigh bha sinn a' cur na lìn faisg air a chèile co-dhiù, bhiodh eathraichean Sgalpaigh a' dèanamh adhradh. Bha mise air tòiseachadh a' leantainn an uair sin. Oidhche cho ciùin is sinn a' cluinntinn iad a' gabhail an adhraidh agus a' gabhail an t-seinn. Cha chuala tu càil a-riamh cho brèagha ri siud.

Murchadh Aonghais Dhomhnaill (aois 92),
a' bruidhinn ri Magaidh Nic a' Ghobhainn, 2019.

Tuathanas-Èisg

Lacasaigh

'Sann ann an 1985 a chaidh tuathanas-èisg Lacasaigh a stèidheachadh, nuair a chaidh deich mìle *smolt* (sin dò-bhliadhnach bradan) a thoirt a-steach bho thìr-mòr na h-Alba. Ràinig an t-iasg sin làrach Loch Èireasort ann an tancaichean, a bha air an uidheamachadh gu sònraichte gus an sìor fhàsadh an t-iasg, ann an cèidsichean a bha air an dealbhachadh le Padraig Crook.

Ann an 1987 bha an tuathanas-èisg air a leudachadh gu ìre is gun gabhadh e 40,000 iasg a bha sìor fhàs. Anns an earrach a' bhliadhna sin, ghabh iad a-steach leth mhillean de ova-sùileach (*single-eyed ova*). Tha an t-àite-àlaich comasach, nuair a tha e a' dol aig àrd-ìre, air cairteal a mhillean de *S1 smolts* a chur a-mach. Sin *smolts* a tha aon samhradh a dh'aois. Mar sin, 's e an àite-àlaich as motha a th' anns na h-Eileanan an Iar.

Tha an tuathanas air a shuidheachadh air bruaichean Abhainn Lacasaigh, abhainn-bhradain ainmeil. Tha uisge air a chumail riutha le dà *phump*, le ochd deug air fhichead kilowatt anns gach fear, a b' urrainn còrr is 4,000,000 gallan a chur thuca ann an aon latha, rud ùr dhan an sgìre a tha seo. Tha an t-uisge air a phumpadh suas gu àrd-tanc, a tha an uair sin a' cumail uisge ris gach uidheam a th' againn airson a bhith a' cumail an èisg.

Anns a' Ghiblean thàinig a' chiad uighean no *ova* a fhuair sinn, a-mach. Aig an ìre sin 's e *alevins* a chanar riutha agus airson dà mhìos bha na h-*alevins* seo beò air na bh' anns a' ghucaig aca.

Anns an Ògmhìos bha iad a' tòiseachadh ag ithe mar shìol èisg airson a' chiad uair. Nuair a dh' fhàs iad na bu mhotha 's e *parr* a chanar riutha (sin bliadhnach) agus bha dath riabhach donn orra a dhèanadh iad falachaidh.

Dh'fhàs am *parr* tron t-samhradh is tron gheamhradh agus anns an earrach 1988 dh'atharraich cumadh agus dath cuid den iasg, fhads' a bha iad ag ullachadh airson a dhol gu muir. 'S e *smolts* a chanar ris an iasg gorm airgideach a tha seo, a tha deiseil airson a dhol thar chuan agus aithnichear iad mar bhradain bheaga.

Le cùram agus àrach mhath anns a' choimhearsnachd, faodaidh *parr* tionndadh gu *smolt* ann an aon bhliadhna no ann an dà bhliadhna. 'S e creutair a tha anns an *smolt* a tha air ullachadh gu nàdarrach airson a bhith beò anns an t-sàl. Mar sin, 's e *S1s* no *S2s* a chanar ris na *smolts* anns an àite-àlaich aca, is iad an darna cuid aon samhradh no dà shamhradh a dh'aois.

Tron bhliadhna, tha an stoc-èisg againn air an rèiteachadh do gach buidheann agus nuair a thig iad gu deireadh an tuineachaidh anns na uisge, thathas an dòchas gum bi a' chuid mhòr den iasg nan *S1s* ma tha sinne a' dol a dhèanamh fìor bhuannachd asta. Tha an còrr den iasg sin nan *S2s*, thèid iadsan àrach ann an cèidsichean air loch-uisge. Tha cuideam *45 grams* anns na *S1s* sa cumantas.

Airson a' phrògram againn a leudachadh, cheannaich sin cèidsichean stàilinn, a tha ochd-taobhach agus a bha air an dealbh cuideachd le Padraig Crook, tha iad seo comasach air seasamh an aghaidh an tìde is miosa a gheibhear anns na h-Eileanan an Iar. Tha sinn comasach barrachd èisg a chumail ann an stoc agus fhathast a bhith ag obrachadh an taobh a-staigh de na molaidhean a tha far comhair. 'S e sin fichead kilo de dh'iasg anns a h-uile *cubic* meatair Tha na cèidsichean a' tighinn thugainn nam pìosan agus air an cur ri chèile leis an luchd-obrach againn, agus gan slaodadh chun an làraich far a bheil iad air an acrachadh gu daingeann.

Ann an obair nàdair tha na *smolts* a' dol gu muir sìos na h-aibhnichean, agus tha na tuathanaich èisg a' leantainn a chleachdaidh a tha seo, le bhith toirt an èisg gu muir ann an tancaichean.

'S e àite-àlaich Lacasaigh fear den chiad fheadhainn a chleachd, anns na h Eileanan an Iar, heileacoptair air fhastadh airson na *smolts* a thoirt gu muir. Feumar a bhith sgiobalta agus faiceallach a' làimhseachadh na *smolts*, gus nach tèid an sàrachadh. Ma bhios iad air an droch làimhseachadh caillidh iad na lannan. Tha an dòigh-gluasaid air na *smolts* ag iarraidh co-obrachadh dlùth eadar an luchd-obrach aig an àit'-àlaidh agus criutha a heileacoptair.

'S e *aluminium* a tha anns na bucaidean airson a bhith a' gluasad an èisg le canastair *oxygen* air a cheangal ri a chliathaich. Chan fhaod barrachd air dà mhìle gu leth *smolts* a bhith anns gach bucaid. Tha iad a' faighinn *oxygen* fhad 's a tha iad air an t-slighe, nuair a ruigeas iad an ceann-uidhe tha na bucaidean air an leigeil sìos dhan uisge agus tha iad air an dèanamh ann an dòigh agus gun leig iad às an iasg cho luath sa thèid air bhog am broinn nan cèidsichean.

'S e companaidh Lacasaigh a' chiad companaidh a ghabh os làimh bàta sònraichte airson an iasg a thoirt gu margaidh. Tha e a-nis air a dhearbhadh gur e dòigh soirbheachail a tha ann. Thathas a' pumpadh sàl fad an t-siubhail do na sia tuill anns a' bhàta agus tha *oxygen* cuideachd a' dol gu gach toll. Bheir an turas eadar Loch Èireasort agus Lerwick timcheall air cèithir uairean fichead.

Tha biadh an èisg a' tighinn thugainn o tìr mòr mura dh'òrdaicheas sinn e, agus tha iarrtas-bìdh an èisg air obrachadh a-mach gu teicneòlach. Tha bàta-obrach againn air acair aig Bun na h-Aibhne anns a' Pholl Ghorm, agus an t-astar eadar am Poll Gorm agus na cèidsichean eadar còig agus deich mionaidean a rèir an aimsir.

Nuair a ruigeas iad na cèidsichean thèid am biadh a chur air bòrd nan cèidsichean agus tha an t-iasg air am biathadh fad an latha leis an làimh. Tha seo a' toirt dhuinn cothrom math air sùil furachail a chumail air an stoc-èisg. Gheibh sin tòrr a-mach bhon an dòigh anns an èirich an t-iasg chun a' bhiadh. Mura gluais iad mar a b' àbhaist dhaibh, 's dòcha gu bheil rudeigin ceàrr air an t-slàinte aca agus feumar faighinn a-mach anns a' bhad de tha ceàrr orra, ma tha càil idir.

'S e na h-eucailean as tric a bhios air tuathanas-èisg *bacteria* agus sodalanaich ('s e sin *parasites*). Ma thèid mothachadh dhan an seo tràth gu leòr faodar an t-iasg a làimhseachadh far a bheil iad, agus an leigheas le cungaidhean sònraichte.

'S e deireadh na cuairt ann an tuathanas-èisg am fògaradh. Ann an 1987 ghabh tuathanas-èisg Lacasaigh no roinn-seilbhichean (*shareholders*) ann am *Bradan Earranta*. 'S e an companaidh seo a bhios a' reic nam bradan againne nuair a thig am bradan gu ìre. 'S e an targaid a tha againn an-dràsta còrr is ceud tonna sa bhliadhna. Tha an t-iasg a tha gu bhith air an reic air an togail a mach às na cèidsichean le cabhal agus air am marbhadh agus air an cur ann am bucas-èisg le deigh oirre.

Iomradh bho na 1980an.

D. I. MacArtair, Crò Mòr

Pòrt: Crò Mòr

Sgadan Mòr Loch Èireasoirt, 1926

Chuala sibh mu dheidhinn sgadan mòr Loch Èireasoirt. Bha uimhir de sgadan ann, nan deidheadh tu sìos le muir tràighe, gheibheadh tu na thogradh tu de sgadan, bha e air fhàgail anns an fheamainn. Bhiodh na Bucaich a' tighinn a-steach an seo agus bha e dìreach iongantach, tha e coltach.

Chaidh bata sìos mu Chabharstaigh, saoilidh mi gur e an *IV* a bha oirre. Tha sgeir far an deach i sìos, 's e an *IV* a tha aca oirre.

Bha daoine à seo agus cheannaich iad sgothan à Arcaibh. Tha mi a' creidsinn gun robh iad 22-23 troigh agus gheibheadh iad a-steach a chur nan lìn far nach fhaigheadh na bataichean mòra. Bhiodh iad an uair sin a' dol a-mach agus a' lìonadh nam bataichean mòra le na bàtaichean beaga.

Muinntir Chrò Mòir is Mharbhig 's muinntir Ghrabhair a bha seo, ach bha bàtaichean An Rubha agus bàtaichean a' Chost' ann. Bha an loch làn bhataichean mu na *early 1930s*. Aig an àm sin bha an sgadan a' dol a Steòrnabhagh.

Ach uaireigin bhiodh *curing stations* an seo fhèin, saoilidh mi gu bheil tri àitichean mu Chrò Mòr far an robh iad. Bha cuid dhan sgadan a bhathas a *ciùrigeadh* an seo fhèin, ach bha a' chòrr a' dol a Steòrnabhagh a' dol gu *kippers*. Bha margaid mòr ro àm a' chogaidh, bha iad a' dol a-null dha na *Baltic States*, Ruisia is Estonia, bha iad a' reic tòrr sgadain ri na daoine sin.

Bhiodh iad a' tòiseachadh air an sgadan nuair a thigeadh e timcheall an seo, agus bha iad a' leantainn an sgadain air an *East Coast* sìos a Shasainn.

Aig an iasgach

Tha cuimhne agam *m' auntaidh* Seonag Dan, bhiodh i a' falbh gu na sgadan. Dh'fhalbh i aig sia deug agus 's e gròta anns an uair a bha i a' faighinn. Ceithir seann sgillinn, bhiodh trì grota anns an tastan.

Bhiodh dithis aca a' cutadh agus tè a' pacadh. Bha Peigi Ruadh, bha i pòsta aig Iain Studaidh à Crò Mòr, *m' auntaidh* Seonag Dan agus tè eile a bhiodh còmhla riutha, Màiri an t-Seada. Bhiodh *m' antaidh* a' cutadh agus tha mi a' smaoineachadh gur e Peigi a bhiodh a' pacadh. Ach nuair a bhàsaich an dithis aca bha iad 101 neo 102. Bha iad cruaidh, bha stuth annta.

Bhiodh i ag ràdh an uair a bha i sia deug, gun robh i ag obair ann an eilean faisg air Lerwick, Pabaigh an t-ainm a bha air. Sin a' chiad *joba* a fhuair i a' cutadh nuair a dh'fhalbh i an toiseach, agus an uair sin a' leantainn sìos chun a' Bhruaich.

Bha ise ag obair dhan a' *'Pheel'*, bhiodh e a' tighinn ga h-iarraidh an uair a bha i anns na 70s, bhiodh i ag ionnsachadh dha dhaoine de mar a dhèanadh iad ceart e. Bha i a' fuireach an ceann an taigh againne gus an do bhàsaich mo sheanmhair ann an 1958 agus chaidh i a dh'fhuireach a Steòrnabhagh an uair sin. Bhàsaich i ann an 2007.

Na h-Eathraichean 's na Feansaichean 1950an

Tha cuimhne agamsa seachd bàtaichean air acair ann an Crò Mòr, bhiodh seo mu mheadhan na 1950s. Cha robh ach tè neo dhà aca ag iasgach. 'S e an *Columbine* an tè mu dheireadh a bhiodh ag iasgach an seo. Bhiodh iad a' briseadh sìos na h-eathraichean agus *a' feansaigeadh* a' bhaile, feansa air crìochan a' bhaile ga dhèanamh eadar-dhealaichte bhon a' mhòinteach.

An '*Dóchas*', bhris i na *moorings* agus chaidh i air tìr air a' chladach shìos an siud. Thug an *Cruelty* à Steòrnabhagh leotha an einnsean agus na *winchichean*.

An *Columbine*, chuir i feansa air Tàbost, bha iad a' splutadh nam plancaichean le sgeilbean an seo. Cha robh *grantaichean* air feansaichean gu mu 1959 no 60.

'S ann à Crò Mòr fhèin a bha an *Columbine, Dòchas, Village Maid, Isa Wood, Haven.* 'S ann à Crò Mòr a bha a h-uile gin aca. Chaidh iasgach an sgadain *flat* agus bha na h-eathraichean air am fàgail air a' chladach.

Bha an clò a' dol an ìre mhath an uairsin. Tha cuimhne agamsa air 18-19 breabadairean a bhith as a' bhaile ag obair còmhla aig aon am. Feadhainn dha na seadaichean bha dà bheart ann agus chluinneadh tu iad, nuair a dheidheadh tu a-mach latha dhan t-seòrs'. Ach a' chuid as motha aca, 's ann nuair a chaidh an t-iasgach sìos a thòisich iad.

Dòmhnall Iain MacArtair a bruidhinn ri Magaidh Nic a' Ghobhainn, 2017.

The Speedwell

Port: Lacasaigh

Crofting Grants which included strainers and wooden posts for fencing, were first available in the 1960s. During previous years, it was customary to sell the redundant herring drifters to be stripped down for their sturdy, oiled, weatherproofed planks. The *Muirneag* is said to have been broken up and the timber used for fencing Balallan's common pasture, while the timbers of the *Columbine* contributed to the pasture fencing of Habost, Lochs. In 1950, the Laxay Grazings Committee organised a rota of Laxay Township Shareholders, to erect a new fence around the village common pasture.

Initially they purchased the *Speedwell*, an old wooden herring drifter, which they proceeded to break up for the new fence. The boat the *Speedwell* was purchased from Calum Dhòmhnaill Iain Òig, a Stornoway fisherman, for the princely sum of £60. This was considered a bargain even in those days. They arranged for another Stornoway worthy, Aonghas Mhurchaidh Bhig, to tow the *Speedwell* into Loch Èireasort. Angus only promised to tow the *Speedwell* as far as An t-Eilean Mòr.

A team of Laxay men were to meet him there and take the Speedwell on the high tide as best they could, to the river estuary into Ceann an Teab at the Polgorm. This was a daunting task as it was a very blustery day with squally showers, but the tide was favourable and it had to be done that particular day. The men of the village were out in force. One very young lad taken to the Polgorm by his grandfather Calum Beag, recalls having seen a man there with a badly creased boiler suit and he decided that day, that this must be the man who crawled into the wireless to read the news.

Another young lad, John Murdo Eachainn from Laxay, was so excited that he made a Gaelic poem naming everyone involved on that day.

'S ann air feasgar Dimàirt aig muir-làn thàinig òrdugh,
Gun robh an *Speedwell* tighinn dhan abhainn 's gu feumte cur an còmhdail,
Chaidh gach duine a bh' anns a' bhaile, chun a' chladaich leis na ròpan.
'S choinnich Torcuil leis an "outboard" a-muigh aig ceann an Eilean Mòr i.

Bha Dòmhnall Ruaraidh Mhurchaidh innt' 's e thurchair dhol air bòrd innt',
Nuair chaidh e thaigh na cuibhle chur e cuinnlean air taigh Eòghainn,
'S thug e sin mun cuairt i nuair dh'fhuasgail iad na ròpan,
'S dh' èigh e sin ri Torcuil "Cuir a' motair ann an òrdugh"

Tighinn seachad air Sgèir Mhuirich bha i a' siùbhal gu math bòidheach,
Bha Dòmhnall anns an toiseach aic' 's e ag obrachadh le chrògan,
Ach a-steach aig Àrd a' Chaoil thàinig gaoth na h-aghaidh còmhnard
'S cha charaicheadh a' motair i, bho nochd i aig a' chornair.

Thàinig eathar Eachainn bhon a' chladaich le na ròpan,
Bha e fhèin 's na balaich innt' 's Tòmas Dhòmhnaill an Dhòmhnaill,
Bha Kenny Murdo 's Alasdair Calum innt' chun na Sgeire Mòire
Dh'fhuirich Tòmas anns an eathar is chaidh na ceathrar eile air bòrd innt'.

Chaidh ròp gu Sgeir an Acair is fear eile chun an Dùnain,
Iad a' slaodadh mar an teine ach cha charaicheadh an iùbhrach
Bha Potaidh air Sgeir an Acair a'cumail taic ri Iain Dhòmhnaill
Ach cha b' fhada gus na theich iad 's am muir seachad air an glùinean.

Chaidh Torcuil a dh' Àird Bhaltois le acair agus ròp aist'.
Nuair a fhuair e chun a' chladaich lig e as i chun an ùrlar,
Bha Tòmas 's e na fhallas 's e ri tarraing air na ròpan,
'S e ag èigheachd ris na balaich bheaga sgabhanta bh' air bòrd innt'.

Cha robh sinn fada nuair a thàinig eathar Eòghainn,
Angaidh Dhòmhnaill an Eachainn agus Angus Aonghais Mhòir innt'
Bha Feargus Taigh a' Chladaich innt' ach bha An Hearach air an t-sofa,
Oir thàinig cur-na-mara air, air a' chladach mus do sheòl iad.

Thàinig eathar Chaluim Ruaidh a-mach an uairsin chun a' bhàta
Bha Dòmhnall air a ghualainn aic' s bha nuair sin Archie Hannah,
Bha Gong air a tharsaing innt' s e ri sabaid ris na ràimh aic'
'S e a' slaodadh mar an dealanaich gu cur air Murdaidh Ardaidh.

Nuair a chaidh am meall ud seachad bha i a' tighinn na bu dhòigheil,
Fhuair iad sin a-steach i dhan an abhainn le na ròpan.
Abair thusa sealladh nuair tharraing iad chun òb i,
Cha robh a-leithid air a' chladach bho bha bliadhna sgadan mhòir ann.

Bha Doilean Dhòmhnaill an Eachainn ann is Donaidh Iain Dhòmhnaill,
Bha Calum Beag le maide ann 's bha na balaich còmhla ris,
Bha Aonghas Aonghais Bhig ann leis a' Phixie mhòr air,
Is o bha Seonaidh Curlach ann is Seonaidh Murdo Sheonaidh Dhòmhnaill.

Having managed to get the *Speedwell* into Ceann an Teab, the shareholders then had to set about breaking it up. Tools for the task such as wedges, hammers and pinch bars were purchased by the Grazings Committee, and an hourly rate of 2s or 10p in today's money was agreed for every hour worked by each shareholder, to encourage them to turn out, to get on with the job of breaking up the vessel.

Recorded from John M Macdonald 1990

Rotal

Nis

The lighthouse at Robha Robhanais and the breakwater at Port of Ness mark the most northerly point of the Outer Hebrides.

The boat-builders of the *Sgoth Niseach* learned by observation (and the knowledge transfer of generations) to construct boats custom-built for fishing the treacherous seas around the Butt of Lewis.

Ness is an area where the North Atlantic custom of fowling is still practiced under licence, in Sulasgeir each summer.

The few fishermen left in this area in 2020 are concerned about the safety of their vessels due to the poor condition of the breakwater. The likelihood of having to begin fishing out of a more sheltered port on the east coast of Lewis will mean the end of generations of families fishing from Am Port.

'Tha i fiathaich an diugh' taing' ga Ali Finlayson

Dods MacPhàrlain

Port Nis

Thogadh an cidhe ann am Port Nis bho chionn còrr mòr is ceud bliadhna. Tha e teantainn a' tuiteam às a chèile agus chan eil e furasta eathar a chumail ann. Nuair a chaidh am *breakwater* a thogail an toiseach, cha do sheas an ceann a-muigh aige ach bliadhna no dhà. Chaidh a chàradh grunn thriopan agus tha am muir fhathast ga bhriseadh. Tha sin a' leigeil leis an fhairge a thighinn a-steach dhan a' chidhe fhèin, far am bi na h-eathraichean.

Shìos aig a' chidhe anns a' Phort tha carragh-cuimhne, le beagan mu eachdraidh a' chidhe agus mun Bhàthadh Mòr an 1862, nuair a chaill 31 duine am beatha. Tha ainm a h-uile fear a chaidh a chall, a-mach à Sgiogarstaidh agus a-mach às a' Phort air a' charragh-cuimhne.

Bha bàthadh eile ann an Cunndal, tha sin taobh an iar dhan Taigh Solais agus sin far an tàinig na h-eathraichean a-steach agus bhathas gan coimhead a' dol fodha. Sealladh eagallach dha na mnathan 's na teaghlaichean, gan fhaicinn a' dol às an rathad. Chuala mi gun do rinn aon de na sgothan air tìr mòr, cha tàinig iad dhachaigh ann, agus chaidh iadsan a shàbhaladh.

1927 onwards

Bhiodh deugachadh de dh'eathraichean ag obair a-mach às a' Phort ri linn m' athar. Rugadh esan ann an 1913. Tha rud agam an-seo a sgrìobh e:

> When the men returned from the war (World War One) some went to the old way of life of great line fishing. But many of the men and women emigrated to different parts of the world. Some left after working for 18 months on the Ness to Tolsta road, the work came to an end in 1922. There followed in 1923/ 24 mass emigration to Canada and Australia.

> After I left school at 14 years (1927) there was no work other than small line fishing. That was my first job, I was taken on as crew on a fishing boat named Callicvol, with another boy my own age, Norman MacLean also from Port of Ness. There was seven of a crew. Norman and I were quite used to baiting lines and setting them in the bay, a job we did even as schoolboys. There was plenty fish, sometimes baiting lines twice a day. Haddock was sold at one shilling a string, 8 haddock to a string. We got 35 pounds for the season and that was good money at that time. Norman and I had to look after the boat, cleaning, taking the boat to the breakwater before low water and seeing that the boat was tended in the harbour. We were enjoying ourselves and getting some money out of it. Even the married men were dependent on it for their livelihood.

> We had a herring net each, so we carried seven on the boat, sometimes catches were good, selling at 10 shillings a basket. Some herring were salted for the winter. It was hard work, no engine then, all sail and oars. In the spring when fish was scarce we used to sail as far as two to three miles off Tolsta Head. All of us boys could work the sails and we used to race the Skigersta boats.

'Sgothan' taing ga Ali Finlayson

Working on different boats in the next few years I remember some hard sailing, days tacking coming down from Tolsta, with a north westerly wind. Our first motorboat was after the war, an old car engine, not very dependable. So we were having to carry a sail and having to use it often enough.

Going back to the great line fishing I remember four boats supplying the one curing station. At that time, we were living over the harbour and my grandfather's boat building yard was at the back of the house.

Some of the smaller boats, 16 footers, used to fish for their own winter food supply. They used to dry and salt fish on the rocks, when dried it was shipped to Stornoway, on the bigger boats, 40 plus footers. There were three of them trading to different parts of the islands. The most I can remember working was 15 boats.

In 1923 the curing came to an end and the station was taken over by the DOAS for the supply of timber and materials. That was the end of the great line fishing. I was glad I was through part of it myself, to have as it certainly helped me for the next job.

Port of Ness was one of the busiest port in Lewis at that time two boat buildings yards, three shoe maker's shops, 3 blacksmiths, 3 bakers and 5 curing stations.

Dods Làithean m' òige 1960/70

Tha cuimhne agam fhìn, nuair a bhiodh mi 14 no 16, bha eathar aig Iain Murdo, 's e *grand-uncle* dhomh a bha ann, bhiodh e togail eathraichean. Thog e am *Bluebird* mu na 1930s, dha cuideigin à Sgiogarstaidh agus fhuair e air ais i.

Bhiodh còignear againne, bhiodh na balaich eile na b' òige na mise. Dh'fhaodadh sinne falbh leatha uair sam bith. Bhiodh sin a' dol a dh'iasgach rionnach, a' dol a-null chun an taigh-sholais. Cha robh sinn a' cleachdadh ach rèimh, cèithear rèimh agus duine a' stiùireadh.

Tha cuimhne agam mac poileas, thug sinn leinn e aon oidhche agus chaidh sinn a-null chun taigh- sholais. Nuair a bha e thìde a dhol dhachaigh, thòisich sinn ag iomradh. Cha robh sinne a' saoilsinn càil dheth ach 'oh murt' nuair a ràinig sin faisg air a' Phort, bha athair air bàrr nan creag. 's e mionnan agus a' siàmalaich ruinn 'Gun robh sinn às ar ciall'.

Bha sinne ag ràdh 'Dè tha ceàrr air an duine ud?'

Chaidh còigear againn, cha robh sinn ach 14 no 15, chaidh sinn a Steòrnabhagh Latha an *Regatta* agus chaidh sinn an aghaidh *team* far na Lochan. Bha sinn a' ruighinn Eilean nan Gobhar agus timcheall bùidh ann an sin agus air ais. Tha cuimhne agam chaidh sinne fear rompa, a' dol gun a' bhùidh agus fear de bhalaich nan Loch, cha do chòrd seo ris. Thug e *tug* mhath air an ràmh, bhris an ràmh agus chaidh e gu chùlaibh dhan an deireadh. Rinn sin a' chùis.

Bha sinn cinnteach gun do rinn sinn a' chuis air a h-uile *team* eile cuideachd, ach, 's e casg-leanna a bha thu a' buannachadh. Cha toireadh iad dhuinn an casg-leanna co-dhiù. Bha sinn ag iarraidh *re-run* ris an fheadhainn a bhuannaich. Bha sinn cinnteach gun robh sinn na b' fheàrr na iad. Ach cha d' fhuair sinn ar toil. Bhiodh sinne math air iomradh am uairsin.

Tha cuimhne agam nar balaich a dhol a-mach madainn le lìon bheag agus thòisich sinn ga cur anns a' bhàgh. Cha robh sinn ach air darna leth a lìon a chur, nuair a thàinig a' cheò sìos agus abair ceò. Chaidh an lìon a *dhraggadh* air ais agus bha adag air a h-uile dubhan. Cha robh sin ach timcheall air còig mionaidean, sin an t-iasg a bh' ann an uairsin.

Eathraichean mòra Nis, 60an

Mu deireadh na 60an thàinig eathraichean na bu mhotha an seo, bha an *Queen of the Isles*, *Rona*, *Alpha*, *Islesman* agus an *Calina*, còig bàtaichean mòra ag obair a-mach à Nis. Bha sin a' toirt obair dha tòrr dhaoine, chaidh mise a dh'obair air an *Queen of the Isles* agus bha mi còig bliadhna deug oirre.

Leig mi seachad an t-iasgach nuair a phòs mi. Thòisich mi a' ruith le iasg, bhithinn suas An Taobh Siar agus mun sgìre seo fhèin.

Air a theann mi, thòisich mi a' *filletigeadh* an iasg, cha robh duine eile a' *filletigeadh* an uairsin. An toiseach cha robh e furasta faighinn cuidhteas an iasg sin. Ach thoisich iad an uairsin ga cheannach agus bho dheireadh, an dèidh 38 bliadhna chan fhaighinn cuidhteas an iasg slàn. Bha an dòigh- beatha aig a' bhean-taighe air atharrachadh gu mòr. Chan fhaod a-nis cnàimh a bhith ann. Ann am fichead bliadhna eile, bidh iad ag iàrraidh a' bhric!

Thug mi 38 bliadhna a' falbh le iasg, a faighinn beagan iasg à seo fhèin ann an Nis, ach 's ann anns a' mhargaidh ann an Steòrnabhagh a bhithinn a' faighinn a' chuid bu mhotha. Tha mi a' creidsinn gu bheil suas ri fichead bliadhna bho sguir a' mhargaidh ann an Steòrnabhagh.

Bha eathar agam son seachd bliadhna deug agus bhithinn a' tràlaigeadh leatha tron oidhche. Nuair a *retirig* m' athair, bhiodh e fhèin agus An Gaisean a dol a-mach leis an eathar tron an latha, ach b' e càil a b' fheàrr a bha còrdadh riutha, gum bithinn-sa a' ceannach an iasg bhuapa. Sin dithis a bha eòlach mu na cladaichean.

Abhainn Ocaisteir

Air cùl an taigh-sholais tha Abhainn Ocaisteir a' gabhail gun ear agus bhiodh m' athair ag ràdh, uaireannan cha ghabhadh tu ort a thighinn troimpe, gum feumadh tu a dhol a-mach trì mile deug mus deidheadh tu timcheall oirre. Droch àite a th' ann. Atharraichidh sin ann am mionaid nuair a dh'atharraicheas a' ghaoth agus a thèid a' ghaoth an aghaidh an t-sruth.

Sùlaisgeir

Thug mi bliadhnaichean sa chriutha a' dol a Shùlaisgeir, 's iomadh triop a thug an *Heather Isle*, am bàta aig Murdo agus athair roimhe, a-mach sinn. 'S iomadh linn bho thòisich balaich Nis a' toirt guga à Sulaisgeir agus mura bi eathraichean freagarrach agus sgiobair eòlach ann, sin an crìoch a thig air.

Tha an deisealachadh a' tòiseachadh seachdainnean ron àm, a' cumail ar sùil air na tha iad a' gealltainn a thaobh an aimsir. Nuair a bhiodh an tìde rudeigin fàbharach, bhiodh sinn ag aontachadh air an latha a b' fheàrr airson falbh agus an aon rud airson tighinn air ais.

Air an eilean còmhla ris na balaich, bhiodh sinn a' bruidhinn ris an sgiobair, dà oidhche no tri, mus biodh sinn deiseil airson a thighinn dhachaigh, a' gabhail beachd air cùisean, dh' fheumadh sinn a bhith ag obair còmhla ri chèile.

An latha an-diugh

Tha mi a' faicinn gu bheil cùl a' chidhe a breòthadh, 's e as coireach gun deach am *breakwater* a thogail airson bristeadh an t-suail a' tighinn a-steach, cha robh an t-suail a' faighinn gu cùl a' chidhe ann. Bho bhris am *breakwater* tha an suail a' faighinn gu cùl a' chidhe agus tha sin a' toirt am balla às a chèile. Tha e a' falbh nan cnapan. Feumar stad a chur air an sin. Mura cur sinn stad air, cha bhi eathar an seo anns a' Phort.

Saoilidh mi nach eil na daoine a tha a' riaghladh an airgid, chan eil iad a' coimhead ris an dòigh- beatha a tha againne ann. Chan eil diofar ann dhaibhsan nan stadadh an dòigh-beatha againne, ach nuair a stadas rud mar sin, tha a' choimhearsnachd a bàsachadh. Feumar feuchainn ris a h-uile càil a tha a' cumail bailtean cruinn a chumail an-àirde agus chan eil e furasta. Tha comataidh againn agus tha fhios againn na rudan a tha muinntir nam bailtean agus an fheadhainn a tha dol sìos chun a' chidhe ag iarraidh. Tha e duilich dhuinn an-dràsta rudan a chur air adhart.

Dods MacFarlain a bruidhinn ri Magaidh Nic a' Ghobhainn, 2020.

Murdo Moireach

Port Nis

San à Sgiogarstadh a bha m' àthair Dòmhnall Mhurchaidh 'An Bhàin, bha e ris an iasgach agus bha mo sheanair ris an iasgach a mach à Sgiogarstadh, tha cidhe beag an sin. A' chiad bhàta a bha aig m' athair,'s e *Queen of the Isles* a bh' oirre, sin far an d' fhuair mi ainm an eathar ùr agam fhìn.

Tha cuimhne agam m' athair gam thoirt a-mach, cha robh mi càil ach ciathir bliadhna a dh' aois, cha robh mo mhàthair dòigheil e a' falbh leam. Tha mi air a bhith ag iasgach bhon uairsin.

Tha dà bhliadhna bho fhuair mi an eathar agus tha mi air a bhith a dèanamh rudan rithe, airson an seòrsa iasgach a tha mi a' dol a dhèanamh. Tha *electronic hand line* oirre, son rionnach agus iasg geal, bidh mi a' cur a-mach lìn, *ground nets*, airson sgait agus leòbagan agus bidh clèibh againn cuideachd. Feumaidh tu a bhith a' feuchainn rudan eadar-dhealaichte airson faicinn dè 's fheàrr a dh'obraicheas.

Tha *licence* aig an eathar airson dà thunna rionnach anns a' mhìos. Nam faigheadh tu sin anns a' mhìos dheidheadh tu air adhart leis an sin. Tha sgait gu leòr ann, agus tha bùithtean agus na h-àitichean-bìdh eadar seo agus Steòrnabhagh deònach gabhail ri na gheibh iad, de dh' iasg ùr.

'S e an trioblaid a tha againn an aimsir agus an dòigh sa bheil an cidhe againn anns a' Phort, 's e tha a' dol a chur stad air a h-uile càil, eadhon son bàtaichean faighinn a-mach às a' Phort. Tha am trioblaid a' dol nas miosa gach mìos.

Cuideachd bho chionn deich bliadhna dh' atharraich am *prevailing wind*, darna leth an t-samhraidh an-uiridh 's e a' ghaoth an ear a bh' ann 's chan fhaigheadh tu a-mach. Tha i fèir gar marbhadh, 's tha i a' marbhadh an iasgach, chan eil iasgach math ann leis a' ghaoth an ear uair sam bith.

Ged a bhiodh an tìde mhara agus an aimsir air a shon, chan fhaigh sinn a-mach ach airson uair a thìde no dhà, airson faighinn a-steach air ais chun a' chidhe sàbhailte. Nam biodh an cidhe againn ceart agus gum b' urrainn dhuinne a bhith a' fàgail na h-eathraichean sàbhailte, oir tha e *tidal* cuideachd. Nam biodh an cidhe a-muigh air a dhèanamh ceart agus sàbhailte, dh'fhaodadh sinn na h-eathraichean beag agus na h-eathraichean is motha a bhith sàbhailte, a-staigh anns a' chidhe.

Tha an t-eathar agamsa am broinn a' chidhe, bha mi an-àirde leis an fhairge a bha ann an dà oidhche mu dheireadh. Bha mi ann gu trì uairean sa mhadainn Oidhche na Sàbaid, agus bha mi ann gu ceithir uairean sa mhadainn an-diugh, gus an do *shettlig* i air a' ghainmheach. Bha fhios agam nach tachradh càil dhith an uair sin.

Tha sin feumach air a dhol air ais gu bhith nar *crofters/fishermen* mar a bha iad uaireigin. Sin mar a tha mise. Tha caoraich agam 's tha mi air a' bheart. Fhuair mi an t-eathar son a bhith 'g obair bho *May* gu *September,* sin a bha dùil agam agus tha mi air a' bheart a' chòrr dhan a' bhliadhna. Dh'fheumadh sin a bhith agad son bith-beò a dhèanamh.

Ag obair a-mach à Nis, am faireachdainn a tha agam fhèin. Tha thu dòigheil annad fhèin, a bhith a cumail ag iasgach a-mach às a' Phort, mach às an àite a chleachd

'Am Port' taing ga Ali Finlayson

d' athair a bhith ag iasgach, do sheanair agus na daoine gu lèir agad. Nuair a tha thu a-muigh a-sin, a' beirtinn air iasg, chan eil faireachdainn anns an t-saoghal cho math ris. Cuideachd, tha e a' còrdadh riumsa gu bheil balaich òga ag iarraidh a dhol a-mach le eathraichean às a' Phort.

Ach tha trioblaid eile againn an seo, nuair a tha sinn a-muigh a' feuchainn ri iasg geal fhaighinn, tha am biorach againn. Tha am biorach *protected* an-diugh, 's e *shark* a th' ann. Chan eil còir agad beantainn ris, no a *landadh*. Tha na bioraich a' gànrachadh an àite as t-samhradh.

Ma gheibh thu biorach, tha còig no sia a' leantainn an iasg, a tha agad air an loidhne agus bheir iad bhuat an dàrna leth agus tha cho math dhut falbh dhachaigh. Tha iad mu dhà no tri troighean a dh' fhaid agus isean annta. Tha seo air feadh nan eilean, chan ann a-mhàin ann an Nis, a tha seo a tachairt air an t-samhradh. Tha iad air an gonadh leotha ann an Èirinn cuideachd. Tha am biorach a' cur dheth an iasg, tha iad a' teicheadh bhuaipe.

Tha mi a' cur a chòire air Riaghaltas na h-Alba agus na buidhnean glèidhteachais. Theab am biorach a bhith air a mharbhadh às, chaidh *ban* a chur air, bha sin ceart gu leòr. Cha chur iad an dòigh eile a-nis e. Tha am biorach a-nis cho pailt, tha bàtaichean a' breith oirre nam mìltean, agus feumaidh iad dìreach an *dumpadh* agus iad marbh.

Tha na h-iasgairean an-còmhnaidh ag iarraidh nach tèid a thoirt às a' chuan ach na dh'fhàgas sìol, gum bi gu leòr ann dhaibh an ath-thriop. Ged a thathas a-mach air *quotas*, tha àireamh na bioraich air a dhol às a chiall. Tha barrachd *quota* aig an ròn na tha aig na h-iasgairean.

Sùlaisgeir

Tha mi a' creidsinn eadar m' athair agus mi fhìn gun do rinn sinn mu 40 turas a Shùlaisgeir. An t-eathar mòr a bha againn *An Heather Isles*, bhris an einnsean agus cha b' fhiach a dèanamh an -àirde. 'S e Foggy à Beàrnaraigh a bh' ann an Sùlaisgeir an-uiridh, 2019. An seòrsa eathar a tha aige, tha i freagarrach son Sùlaisgeir.

Bheir thu eadar ochd agus naoi uair a thìde *a' steamigeadh* eadar Steòrnabhagh agus Sùlaisgeir agus mu chòig uair a thìde bhon a' Bhutt, sin ma tha tìde mhath ann.

Na Bliadhnaichean a tha romhainn

Chan eil mi ag iarraidh am Port fhàgail son obrachadh a-mach à Breàbhaig no Steòrnabhagh. Rud a tha mi ag iarraidh, 's e eathar a bhith agam ann an Nìs agus cead agam a bhith a' dol a-mach agus faighinn a-steach ann an àite sàbhailte. Sin mar a tha sinn leis a' chidhe mura tèid càil a dhèanamh, cha bhi daoine air fhàgail an seo a bhios ag iasgach.

Murdo Moireach a bruidhinn ri Magaidh Nic a' Ghobhainn, 2020.

Sgalpaigh

The Isle of Scalpay has an extensive fishing heritage, and this collection includes many aspects of boats, catch and the fishing families. In the Scalpay interviews there are observations of the movement of fish, birds and the life cycle of the herring.

The list of 100 phrases and terminology relating to weather, tide, boats and fishing was contributed by a man who left Scalpay at the age of 11.

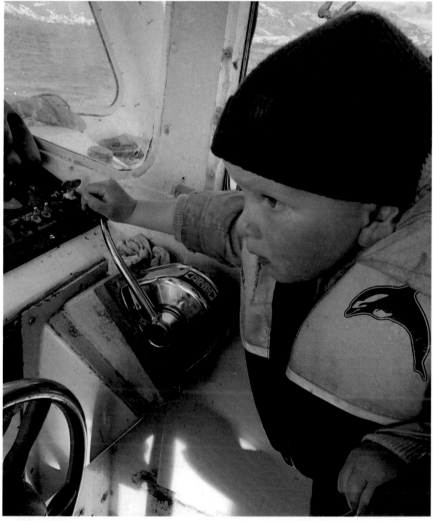

Cailean a Sgalpaigh, 2021.

Dàibhidh Moireasdan, Dàibhidh Alasdair Dhàibhidh

Port: Sgalpaigh

Chaidh mi gu an t-iasgach ann an 1960 nuair a bha mi sia deug, bha mi air a bhith bliadhna anns a' Chaisteal son *navigation*. 'S ann air an *drifter*, an *Golden Rule*, a chaidh mi an toiseach. Bha i le ceathrar anns a' bhaile, bha m' athair agus triùir eile timcheall oirre, agus mic nan *ownairean*, mar a bha mise, innte.

Bhiodh sinn ag obair mu na lochan ann an sheo agus suas gu Na Hearadh, sìos pìos de Leòdhas, a' cur nan lìn am beul na h-oidhche, cha robh *echo sounder* na càil annta, 's e *Zulu* a bha innte suas ri leth- cheud troigh. An uair a bha mise innte, tha mi a' creidsinn gun robh i dà fhichead bliadhna, nach robh i aig mo sheanair roimhe sin.

Cha robh an t-uabhas eathraichean ann an Sgalpaigh nuair a dh'fhàg mise an sgoil. An *Golden Rule*, *Kilda*, *Catriona* agus an *Industry* ag obrachadh lìn. Bha am *Moria* ann, 's i bhiodh a' ruith chun an Tairbeirt le *passengers* agus na sgoilearan uaireannan, anns a' gheamhradh.

Bhiodh trì no ceithir *ringers* ann: *A' Mhaighdeann Heàrach*, an *Scalpay Isle*, *Venture* agus an *Estralita*.

Thàinig an uair sin sgeama *Highland Development Board*, thàinig an *Remembrance* ùr. Thàinig sgeama eile 's bha dhà dheug de dh' eathraichean mòra an seo agus sianar de chriutha orra.

Chanainn gum biodh faisg air 100 duine a' falbh a dh'obair a h-uile Diluain an uairsin. Chan eil ach sianar no ochdnar aig muir an seo an-diugh (2019).

Coastaran

Bha trì *coastaran* aig Cunningham agus bàta a' ghas, a' ruith air feadh Bhreatainn 's a' dol chun a' *chontinent*, bha 400 tonna annta. Cha b' ann à seo fhèin a bha an criutha, bha iad à Leòdhas agus gach àite. 'S e na balaich aig Cunningham fhèin a bhiodh nan sgiobairean orra.

An Sgadan

Tha an sgadan mar a tha h-uile beathach-nàdair eile, tha àite fhèin aige. Mar a b' fhaide a bha thu aige, bha thu ag ionnsachadh a h-uile latha. Nuair a thòisich mise an toiseach le eathar, ag ionnsachadh bhon an fheadhainn a bha ris bliadhnaichean romham, bha fhios aca càite an deidheadh iad a choimhead son an sgadan. A h-uile loch mara, chan eil an sgadan anns a h-uile h-àite idir. Tha e naoi triopan a-mach às an deich anns an aon àite. 'S dòcha gu bheil trì spotan anns an loch far am bi sgadan, 's ann ann a bhios e air an oidhche, an uair a thig e gu tàmh. Bidh e a' gluasad a-mach far a' chladaich air an latha.

Nach eil a' chaora 's h-uile càil mar sin? Tha an àite fhèin aca. Tha an sgadan 's an t-iasg an aon rud. Nan deidhinn-sa dha na lochan ud, na h-àitichean air an robh mi eòlach, bidh an sgadan ann.

Dòigh nan Ring Netters

Bhiodh na *ring netters* mu 60 troigh. Sin an obair as fheàrr a bh' againn a-riamh. Bhiodh dà eathar ag obair còmhla ri chèile, *pair*, fad na tìde. Dh'fhalbhadh sinn à seo am beul na h-oidhche Diluain, 's ann air an oidhche a bha thu ag iasgach an sgadain, oir bhiodh e air a' ghrunnd tron latha.

Nuair a thòisich mise an toiseach aig an *ring net*, 's ann thall mu Loch an Inbhir a bha sinn ag obair, tuath air an Stòr suas gu Ulapul, bha e a' leantainn gu deas gus an earrach, sguireadh e anns An Eilean Sgitheanach. Uaireannan eile 's ann shuas ann am Barraigh a bhitheamaid, agus cladach Uibhist. As t-samhradh bhithte mu Loch Shealg, agus anns a' gheamhradh cuideachd.

Tha lìn air an deireadh aig an *ring netter*, agus an uair a dheigheadh tu a-staigh a loch, bha thu an- còmhnaidh a' toirt leat a' chladaich air do làimh dheas. Nam faiceadh tu *spot* sgadain air an *echo sounder*, dheigheadh tu suas seachad pìos air. Leigeadh tu às ceann an lìn, bha thu ga cur timcheall air an sgadan.

Bha am *partner* agad, bha *dan (danbuoy)* agad le solas *flasher*, bha i a' breith air an seo, 's ga cheangal air bòrd. Bha an dà eathar an uair sin a *tòdhadh* chun a' chladaich agus a' tighinn gu chèile.

Bhiodh an tè a chur an lìon air taobh a-staigh an *circle* agus bhiodh an tè eile a' tighinn agus iad a' coinneachadh anns a' mheadhan. Bhiodh ceathrar dhaoine a' leum à aon eathar chun an tè eile. Bhiodh *tyres* mhòr air a' chliathach, agus bhithear a' cur an dà eathar teann ri chèile. Bhiodh còigear air gach ceann den lìon agus bha am *winch* anns a' mheadhan a' tarraing bonn na lìn.

Bha an tè eile an uair sin a' falbh agus a' toirt ball aiste, ball anns a' mheadhan agad, son nuair a bhiodh an deireadh no an toiseach a' dol chun an lìon bha i ga shlaodadh. An uair a tharraingeadh tu an dà cheann, bha an sgadan anns a' mheadhan anns a' phoc.

Bhiodh am poca agad leis an sgadan agus bha an tè eile a' tighinn agus bha i a' crochadh ris. Bhiodh *pole* an le lìon, le cearcall mòr air a' bheul aige, an lìon a' tighinn às agus am ball a' dol gu mullach na *derrick*.

Bhiodh iad a' cur am *pole* mar gum biodh sgumaire mòr - *scoop*, bhiodh iad a' cur sin am measg an sgadain agus ga shlaodadh aig a' cheann. Nuair a bhiodh e làn cha robh iad ach ga shlaodadh gun *deck*, bhiodh *slack* anns an eathar gu leòr agus bha am *winch* ga dhòrtadh dhan an toll. Nuair a bha tòrr sgadan ann, bha an dà eathar ga dhèanamh. An uair a bha dà eathar còmhla ri chèile bha e sàbhailte ann an rathad.

Bhiodh tu an uairsin a' falbh leis a Mhalaig no a Gheàrrloch. Cha robh Steòrnabhagh air tòiseachadh, cha robh margaidh cho math ann ach beagan, mu dheireadh thàinig na Klondykers agus Olsen.

Comharran:

As t-samhradh 's ann a-muigh air nam bancannan a bhiodh tu, agus b' e comharran a bha aca son nam bancannan. 'S e bancannan tanalach air a' chuan, can tha trì fichead agus ceithear fichead aitheamh ann an corra àite, tha e a' tighinn an-àrde agus còig aitheamh deug ann, dìreach mar *ridge* beinne.

Tuath air na h-Eileanan Mòra 's e *Shiant Bank* a chanas iad ris, Banca nan Eilean. B' e an comharra a bhiodh aca, Mùirneag air an Tiùmpan.

Faisg air Stocanais 's e Banca nam Bàgh a chanadh iad ri seo, agus chanadh iad am Banca a Deàs ris cuideachd. An comharra air Banca nam Bàgh, bhiodh solas Sgalpaigh an-còmhnaidh aca, nuair a bha an solas air an t-sròin 's bha e air Beanntan Leòdhais, Beanntan na Pàirce, sin na comharran a bha aca an an sin.

Bha Banca Loch nam Madadh ann, shuas ann am Barraigh bha Banca a' Churachan ann, agus bha Banca Cholla ann, 's e àitichean iasgaich a bha sin air fad.

Bhiodh comharran aca nuair a bhiodh an lìonadh ann, bha sin leis an *drift net*. Mar a bhiodh an *ring net* bha thu a' steamaigeadh, aon uair agus gun robh thu air a' bhanca, cha robh thu ach air ais 's air adhart.

Leis an *drift net*, can nam biodh iad a' cur an lìon nuair a bha an tràghadh ann, bha comharran aca, can nan tòisicheadh iad am beul na h-oidhche leis an tràghadh, agus comharran eile son lìonadh. Dà cheann a' bhanca, sin mar a bhiodh e ag obrachadh.

Bhiodh comharran eile aca, a-staigh mu na cladaichean son an adag 's far am biodh iad a' cur na lìn mhòra. Cha robh mise aig lìon mhòr, bha mi a-muigh còmhla riutha, ach cha robh mi air a thighinn gu ìre son comharran. Ach bhiodh comharran aca son lìon mhòr san aon dòigh.

Coltas

A thaobh coltas, uaireannan bhiodh tu ceart agus uaireannan bhiodh tu ceàrr. Nuair a chitheadh iad faoileag can tron latha, nam faiceadh iad tòrr eun air cladach air na sròinean, bhiodh amharas aca gun robh sgadan no rudeigin timcheall an oidhche sin.

Nan deigheadh tu dhan loch às ùr agus eun air na sròinean agus gun dragh air a bhith air. Nam biodh sgadan air fhaighinn ann, an latha ron sin, agus iad air a bhith a' crathadh na lìn, bhiodh coltas ann co- dhiù. 'S e an coltas a chanadh iad ris, faoileagan a bhith air a' chladach no air a' mhuir.

Bu toil leotha a bhith a' faicinn arspag - *blackback*, chitheadh iad i na laighe air a' mhuir. Bhiodh i ceart cuideachd, bhiodh i a' faireachdainn gun robh rud foidhpe.

Tha isean beag beag eile agus bha iad uamhasach measail air, 's ann a' falbh os cionn na mara a bha e. 'S e *petery* a bhiodh aca air an seo. Chitheadh tu air na bancannan a-muigh e. Bhiodh iad a' cumail a-mach gur ann air ola an sgadain a bha e beò. Bha e mar gum biodh e a' piocadh fhad 's a bha e a' sgeith. Chanadh iad 'Tha *petery* an-seo a-nochd'.

Catchairean

As t-samhradh nuair a bha sinne a' landadh ann an Steòrnabhagh,'s e na *catchairean* a bha ga cheannach air fad. Nuair a thòisich mi a' dol a-mach nam bhalach, saoilidh mi gun robh iad a' coinneachadh nan *catchairean* a-muigh aig Garaids Mitchell, bhiodh iad a' dol gu na h-eathraichean aca fhèin, cha robh e air an roinn mar sin idir.

Bhiodh iad a' reic an sgadain ris na *catchairean* mun tigeadh àm an *sale*. Bhiodh na *catchairean* a' ruith air na bailtean air feadh Leòdhais air fad, a' reic mu na taighean.

Bhiodh feadhainn aca cho carach. Thigeadh iad a dh'iarraidh leth-bhasgaid. Le basgaid chan fhaigheadh tu ach basgaid, *level flush* basket. Bhiodh feadhainn ag iarraidh trì basgaidean agus feadhainn ag iarraidh crann, sin ceithir.

Thigeadh fear an-dràsta 's a-rithist ag ràdh "A bheil càil air fhàgail? Am faigh mi leth-bhasgaid?" Mar a bha *shape* a' bhasgaid, chan fhàgadh tu aig an leth i, bhiodh siofal a bharrachd a' dol innte, bha fhios aca air an seo. Bhiodh fichead sgadan co-dhiù anns an t-siofail.

Bha na *buyers* air tìr cuideachd, bhiodh iad ag èigheachd, *'Keep her full'*. Bhiodh feadhainn de na basgaidean cho làn 's a ghabhadh i. An duine a bha air an rop, chrathadh e i agus dh'fhalbhadh beagan sgadain àiste agus bhiodh e ag ràdh ri na *buyers* 'Tha a' bhasgaid cho làn agus gu bheil i a' cur thairis'.

Ann an *October* agus *November* bhiodh na catchairean ag iarraidh barrachd sgadain son an cutadh. Tha cuimhne agam air an eathar againn fhèin, bhiodh boireannaich a' tighinn gun a' chidhe agus iad ag iarraidh basgaid no leth-bhasgaid airson a shailleadh.

Sgadan nan lochan

Chuala mi rud aig Mac Chailean Neilidh, gum biodh am bodach a' faighneachd dha na h-eathraichean 'Càite an d'fhuair iad an sgadan?' Cha chuala mi a-riamh e an seo, ach bha e cho ceart ri ceart. Gum biodh e an-còmhnaidh *keen* air sgadan a fhuair iad ann an loch, far an robh tòrr uisge *fresh* a' tighinn.

Tha *texture* air choreigin anns an sgadan as fheàrr. Tha tòrr de na lochan mara, gu h-àraid aig tuath, Brolam, Loch Sealg, far a bheil na beanntan. Bidh iad ruadh uaireannan anns a' gheamhradh le uisge *fresh*.

Nar lathainn-sa, chuala sibh mu sgadan Loch Fìn. Bha e ainmeil airson ithe, Sgadan Loch Oidhoirn[1] agus sgadan [2] Loch Cannairt. Bha iad ainmeil son ithe cuideachd.

Na daoine againn, nuair a bha iad a' sailleadh sgadan ann an *October* no *November*, b' fheàrr leotha sgadan a gheibhear tuath air an t-solas againn, na an sgadan a gheibheadh aig deas. 'S e siud a bh' ann. Bha am bodach Cailean Neilidh ceart. Bha an t-uisge sin a' toirt rudeigin dhan *texture* aige.

An sgadan a bhiodh iad a' faighinn aig a' Bhutt cha ghabhadh e *chiopaireadh*. Cha robh an *oil content* ann. Bha iad a' cumail a-mach gun robh an sgadan sin anns a' Chuan Mhòr agus bha e ga chur, an rud a bha a' chòrr, dha na *muscles*, a' strì ris a' chuan. Mar a tha na lochan tha e nas sèimhe.

Bhiodh iad ag ràdh an sgadan a b' fheàrr a' gheibheadh iad airson *ciopaireadh* gur e an sgadan a bha air a' Bhanca Deas ann an seo, sgadan mòr a bh' ann agus sgadan.[3] A' Chuireachain. Bha an sgadan sin làn ola.

Bha uair eile sgiobair eathar-iasgaich ag innse dhuinn gun robh iad a' slaodadh sgadan on taobh an Iar na Hearadh, Loch Reàsort, Loch Tamnabhaigh tuath air an Sgarp agus bha iad a' dol a Gheàrrloch leis.

---

1   *Loch Oidhirn seachad air Cille Reatha eadar sin agus Mallaig, tha e a-staigh anns na beanntan*
2   *Loch Cannairt ann am beul Loch Braòin.*
3   *A Chuireachain a-mach à Bagh a' Chaisteil*

Thuirt *am buyer* riutha an triop-sa 'Chan eil sinn ag iarraidh a' chòrr dheth, chan eil ola idir ann'. Siud a thuirt e riutha. Thuirt iad '*Nonsense*, chan eil e ach ag iarraidh a' phrìs a bheir a-nuas'. Bha e a' fàs gann ann co-dhiù, ach chaidh iad ann a-rithist agus thug iad às an sgadan. Nuair a chaidh iad a Gheàrrloch '*Where did you get your herring this time?*'. 'Loch Sgìophoirt' thuirt iad, ach cha b' ann ann an Loch Sgìophoirt a fhuair iad e, ach taobh Na Hearadh.

Cha chuala iadsan a' chòrr ach bha iad a' smaoineachadh gur e '*gag*' a bha aige. Chan e. Cha do smaoinich sinn a-riamh air. Bidh iad a' faighinn sgadan anns an Loch an Iar (*West Loch Tarbert*) an siud, chan eil e cho math idir. Tha iad ag ràdh nach eile an *oil content* idir ann, a tha ann an sgadan a' Mhinch. Tha na rudan sin cho iongantach.

Maatjes

A-mach à Ceann Phàdraig deireadh *May*, toiseach *June*, tha tè dha na *pursers* a' dol a dh'iasgach airson *Maatje herring*. Tha e iongantach an rud a tha a' tachairt ann agus tha an rud cho ceart. 'S ann airson na Duitsich, *Dutch festival* a tha *Maatje herring*.

Tha e coltach siud an t-àm, deireadh *May* agus a' chiad dhà no trì sheachdainean de *June*, siud an t-àm 's coileanta tha sgadan. Coileanta, chan eil e cho reamhar 's tha e an-dràsta. Tha e coltach suas chun an siud, agus earrach math ann, tha math a *phlankton* a' dol ann fhèin, *100 percent*, tha e a' fàs reamhar. Tha iad ag ràdh nuair a thèid e chun a dàrna no treas seachdain ann an *June*, tha seo a' sguir. Tha a mhath a' dol dhan an *roe*, a' mhealg, san iuchar. Tha mu *80 percent* a' dol ann fhèin agus a' chòrr a' dèanamh deiseil son an t-samhraidh. Tha an rud cho inntinneach.

Tornbellies

Nuair a bhiodh sinn a' *landadh* sgadan ann an Steòrnabhagh agus iad ga *chiopaireadh*, s dòcha gum biodh leth-bhocsa agad air fhàgail agus chanadh tu '*Give us some kippers*'.

Chuireadh e a-nuas bocsa '*torn bellies*' sin an *ciopair* 's fheàrr a gheibh thu. Cha b' urrainn dhaibh an reic oir bha toll air a thighinn air a' mhionach aca. Bhiodh an sgadan bog uaireannan san tìde bhlàth as t-samhradh. Bhiodh toll a' tighinn air a' mhionach aca agus bha iad gan *ciopaireadh*. 'S dòcha gun robh *sale* aca dòigh eile, ach cha b' urrain dhaibh an cur dha na *hotels*. B' e an *ciopair* a b' fheàrr. 'S e na bha ann de dh'ola, cho beartach 's a bha e, a bha a' toirt air tolladh. 'S e *torn bellies* a bha aca air. Cha robh ann ach toll beag, chan fhaiceadh tu idir e.

Tiormachadh iasg

Aig an taigh an seo, bhiodh iad a' splùtadh an sgadain 's ga chur a-mach ris a' ghrèine ga thiormachadh. Leis an ola cha mhòr nach biodh siud mar bric. Ach dè mar a bhathas ga chumail bho na faoileagan, agus tha a' chuileag dhubh garbh chun an sgadain? Chan eil agad ach a bhith a' glanadh sgadan aig an doras agus tha iad a' tighinn timcheall.

Nuair a bhiodh iad a' dol gu na lìon mhòra,'s ann as t-earrach a bhiodh sin. Nam biodh iad aig na lìn airson seachdain, bhiodh iad a' dol gu badan anns a' chladach agus daoine a' tighinn ga cheannach. Bhiodh iad a' dol gun an Tairbeart, 's bhiodh daoine a' tighinn ga cheannach. 'S dòcha rud a bheireadh iad dhachaigh dhaibh pèin, langa 's dòcha, is gun sailleadh iad i. Bhiodh smalagan (saoithean beag) aca crochte air an earball. Bhiodh e air a shailleadh agus ga thiormachadh is e crochte.

Sprats

Tha Loch Èrisiort math air *sprats,* a-staigh ann an Ceòs agus Pol Ranais, ach chaidh sinn a-staigh a Steòrnabhagh an oidhche a bha seo agus chunna' sinn air an *echo sounder,* cnap mòr ris a' chladach ann am beul a' Chreed.

Nis, tha *byelaw* aig *a' Ghovernment* ann an acarsaid Steòrnabhaigh: *'You are not allowed to shoot a net inside the boundaries of Stornoway Harbour'.*

'S e bu choireach, bho chionn fhada, ann an latha mo sheanar, bha sgadan a-staigh ann an Loch Steòrnabhaigh. Chuir na h-eathraichean na lìn ann, nis', tha e cho tana agus bha na *corks a' floatadh.* Thàinig gèile uamhasach agus chan fhaigheadh iad thuca airson an tarraing. Chan fhaigheadh an *Loch Nevis* a-steach airson dà latha. Tha e ann an eachdraidh a' chala. Dh'iarr iad *byelaw* a dhèanamh. Tha sin ann 's bha fhios agam air an seo.

Chaidh mi a-null gu oifis a' chidhe anns a' mhadainn. Thug mi gealladh nam faigheamaid cead gun obraichinn còmhla riutha. Cha deighinn a-mach gus ochd uairean nuair a bhiodh an *Suilven* a-staigh, na h-eathraichean iasgaich, agus ma bha *merchant ship no tankers* a' tighinn a steach, gun cuireadh iad fios thugam.

A' chiad oidhche cheannaich *Scottish Fisherman's Organisation* na *sprats* agus bha làraidhean Cailean Ossian agus *MacBrayne* a' falbh leotha, bheireadh sin air an *Suilven* falbh aig 1.30 feasgar.

Rinn sin trì *landings* agus air an oidhche a' toirt an stuth air bòrd ri taobh a' chidhe. Madainn Diardaoin bha sinn *a' dischargeadh* agus thàinig feara thuirt 'Tha mi duilich, tha thu *barred'.* Bha am manaidsear air a bhith air falbh, thàinig e dhachaigh agus dh'innse cuideigin dha agus chaidh e às a chiall. Bha an cladach sin làn *sprats* fad a' gheamhraidh agus chan fhaigheadh daoine air an tòir.

Daibhidh Moireasdan a' bruidhinn ri Magaidh Nic a Ghobhainn, 2019.

100 Facail à Sgalpaigh bho Fhionnlagh MacSuain, a dh'fhàg an eilean aig aois 11.

1	sruth-lìonaidh	*tide flowing*
2	a' tràghadh	*tide ebbing*
3	a' lìonadh	*flowing*
4	reòthairt	*high tide (High spring tide)*
5	mullach reothairt	*(Spring) tide at its highest*
6	conntraigh	*neap tide*
7	làn a' tilleadh	*tide turning*
8	Tha a' ghaoth a' gobachadh	*wind strengthening*
9	Tha i a' fàs clapail	*weather becoming breezy*
10	Tha cèibhear air a' ghaoith	*wind is breezy*
11	muir-cùl	*sea from behind*
12	muir gun stiùireadh	*sea without control*
13	Tha bònn anns a' mhuir	*When the weather is calm but the sea has motion*
14	Tha tarraing air a' chladach	*There is a pull (ground-swell) on the shore*
15	Tha briseadh air a' chladach	*The sea is breaking on the shore*
16	Tha fairge ann	*There is a heavy/storm sea*
17	Tha am muir ag èirigh	*The sea is getting up*
18	Tha droch mhuir air a' chladach	*A bad sea on the shore* *Also said about a bawling child*
19	muir mollach	*a ragged sea (literally with spray on it)*
20	muir a' briseadh	*sea breaking, white horses*
21	gaoth far an fhearainn	*wind off the land*
22	droch mhill	*heavy showers*
23	sgàth fhras	*a light shower*
24	a ruith an fhasgaidh	*following the shelter*
25	a' gabhail fasgadh	*taking shelter*
26	Tha i a' togail oirre	*It is improving, brightening up*
27	taobh an fhuaraidh	*windward side*
28	dubh fhèath	*dead calm*

29	Tha am muir balbh an-diugh	*The sea is quiet today*
30	Chan eil bròn air cladach	*Not a murmur on the shore*
31	Dh'aithnichinn do cheann air a' chladach	*I would recognise you anywhere*
32	Tha am bogha a' tighinn ris	*The submerged rock is appearing*
33	a' plèisdeireachd	*messing about in a boat*
34	feamainn-reòthairt	
35	feamainn-cìrein	*This seaweed was boiled in water and the juice was given to a cow if it was poorly. When the cow's condition improved this seaweed was mixed with the other nourishing substances it was fed. Channel weed, grows at high tide level*
36	feamainn-siabain	*feamainn shiabaidh, seaweed washed up on shore*
37	langadal	*kelp*
38	a' cur suas (na feamad)	*cutting and taking up seaweed for spring work*
39	a' dol dhan tràigh (a bhuain na feamad)	*Going to the shore at low tide to cut the seaweed*
40	crònan na mara	*sound of the sea*
41	ag aiseag na mòna	*transporting the peats by boat*
42	a' taomadh	*bailing*
43	Tha tuim san eathar	*there is bilge (bilge water) in the boat*
44	beul	*gunwale*
45	timcheall-àrd	*upper, or sheer strake*
46	tobhta-deiridh	*aft thwart*
47	tobhta –meadhan	*mid-thwart*
48	tobhta –toisich	*fore-thwart*
49	rangas	*stringer*
50	falmadair	*helm*
51	stiùir	*rudder*
52	suidheachan	*thwart*
53	ceanglaichean	*knees and breast-hooks*
54	tùc - toll an tùic	*bung*

| 55 | sguman | a scoop. |

Balach-sgumain was a boy who operated the scoop. He was often from a large family who had lost their breadwinner. He was selected to accompany a crew during the season. Any herring which fell out of the scoop, he had a right to keep for himself

56	botag	boat hook
57	druim an eathair	keel
58	na roithleagan	rowlocks
59	na bacain	thole pins
60	stròc-bhuidhe	A yellow line painted along the hull of a ship which ceased where the name and number were inserted, then continued after the name. But if there was a death, for an entire year it was a blue line.
61	plancaichean	strakes, hull planking
62	fliuch-bhòrd	garboard, or lowest strake
63	toiseach is deireadh a' bhàta/eathar	fore and aft
64	Cuir an deireadh/ an toiseach i	
65	Cùm ort	carry on
66	Cùm fodha	
67	Tog ort	Come on
68	Iomair	Row
69	a' toirt buille air na ràimh	
70	Thoir rifeadh eile dhith	reefing, or shortening sail
71	a' beatadh, a' tacadh	beating, or tacking to windward
72	cladach salach	Rocky shore
73	ceangal suas i	Tie it
74	cuir car sa rop/ car mu char	Put a turn in the rope
75	Tha an t-eathar air a mònaigeadh	
76	Acraich an t-eathar	Anchor the boat
77	cruaidh	stone anchor7
78	clarag	frame for hand-line
79	driamlach	fishing line
80	meigh	weight

81	cleamhag	
82	lìn-mhòra	*great, or long-line*
83	lìn-sgadain	*herring nets*
84	A' cur an lìn	*setting the net*
85	A' togail na lìn	*lifting the nets*
86	A' càradh an lìn	*repairing the nets*
87	Tha an lìon air moglachadh	*nets are knotted*
88	àrca	*cork*
89	bùidh	*buoy*
90	bodach-ruadh	*Cod*
91	òrd èisg	*portion of fish*
92	Cha d' fhuair mi earball	*I didn't catch a thing*
83	Chan fhaca mi dè an dath a bh' air	
94	roinn a mhic san athair	*fair share*
95	comharran	
96	air an tanalach	*shallower water*
97	aig doimhne	*deeper water*
98	a' falbh leis an t-sruth	*the current*
99	sgath cladaich	
100	Tha dà thaobh air a' Mhaoil	*(there are two sides to the Minch) meaning there are two sides to every story.)*

100 Facal bho Fionnlagh MacSuain 2020. Tuilleadh fiosrachaidh bho Dhaibhidh Moireasdan, Sgalpaigh, agus Seonaidh MacAmhlaigh, Fleodabhaigh.

Steòrnabhagh

Stornoway was said to have once been the largest herring export port in Europe there is a description of the town of Stornoway and a bustling Harbour in the 1840s and 1860s.

SY was the home port for the *Muirneag*, the last sailing herring drifter in Britain, plying as far as Great Yarmouth and Lowestoft in 1898. A Point herring girl tells of following the herring and going on strike in Yarmouth for a shilling (5p) between three women, for gutting and packing per barrel. Duncan MacIver Ltd, Stornoway, had the *Excelsior Herring* brand and a curing yard in Great Yarmouth, which is the location of the herring fishing museum in Great Yarmouth today.

A cooper tells of leaving Stornoway on the coast boat, driving a Duncan MacIver Albion lorry with solid tyres. They sailed up the Manchester Ship Canal and then he drove across England to Yarmouth. There were no wipers on the lorries then, you just prayed for the best!

An Clachan a b' aithne dhomh-1846

Anns a' bhliadhna 1846 cha robh ach trì fichead taigh sglèat is a seachd ann an Steòrnabhagh. Ach cha chuimhne leam ach dhà no trì de thaighean-tughaidh a bhith ann gu lèir. Dhà dhiubh an Ceann a Bhàigh is taigh beag brònach, An Airc, an Einacleit, far an robh seann duine bochd air an robh Noah againn, is a bhean. Bha Noah gu math sean, dlùthachadh ris na ceithir fichead, gu math feusagach, le boineid cruinn leathann, na ghille-turais aig fear de cheannaichean a' bhaile, e fhèin 's Calum Ailein, a bha beagan na b' òige is na bu sgiobalta air a chasan na Noah. Bha bith ann cuideachd agus is tric bha facal dibhearsain eadar e fhèin is an Dotair Noraidh san dol seachad.

Dh' fheumadh na ceannaichean gillean-turais, 's le am barraichean a toirt bathar bhon chidhe. Ach bha daoine bochd eile ann a bha gu math dìcheallach is dèanadach nan dòigh fhèin, Iain nam Faochag le a bharra-choilleig is chudaigean, gan reic glè shaor, 's Dòmhnall Bràidhdean le a bharra-mòr sgadain. An uair a bha an sgadan pailt 's Niall Slaodach le ghlag, ga sheirm gach feasgar aig ochd uairean chum na bùthan a dhùnadh, ach 's mòr eagal nach tug mòran feart air glag Nèill.

Na dhèidh, Nèill, thàinig fear geur sgaiteach, à Uig, Coinneach Phàdraig is glag aige cuideachd. Is aige-san a bha sanas ri thoirt seachad, le gleadhraich ma bha *roup* gu bhith ann.

A-measg luchd-tuineachaidh a' bhaile bha Dòmhnall Dubh, Calum Riabhach is Dòmhnall Breac. Is anns a' Ghàidhlig a bha Coinneach a' labhairt. Na sheasamh air starsaich bùth Sheumais Chaluim, dh' èigheadh e àrd a chinn:

"Tha cuireadh an seo do na h-uile, biodh iad ciontach no neo-chiontach, biodh iad breac, no dubh no riabhach."

Ach is e baile mòr is baile brèagha a tha againn an-diugh, is baile trang cuideachd le seòlaid, le taighean-mòra is le bhùthan lìonmhor, le laimhrigean, le a chàraichean, le a bhàtan-smùid, le taighean-rèisgidh is le a chaisteal.

An Clachan a b' aithne dhomh -1860

Leth-cheud, is dà fhichead bliadhna air ais, cha robh ach bàtaichean-seòl an cois an iasgaich is bu bhreàgha an sealladh, madainn samhraidh, seachd na ochd de cheudan dhiubh fhaicinn a' lìonadh suas an caladh. Na h-eathraichean a bu mhotha is a bu tapaidh, na *Zulus* mhòra, chaidh an togail an ionad-togail bhàtaichean, an Steòrnabhagh fhèin - an *slip* bhàta a thog Sir Seumas is a chosg còig mìle not. Chosgadh *Zulu* seachd ceud not. Bha na sgothan mar bu trice air an dèanamh ann an Nis.

Bha àireamh mhòr iasgairean is bhàtaichean 's chiùirearan a' tighinn gach samhradh à Gallaibh is an àird an ear, is à Sasainn, le an cuid each is chairtean, is bu luath air sràid iad, a' tarraing an èisg a dh'ionnsaigh nan amaran sgadain, far an robh na cutairean nan cotan canabhais gus a ghlanadh is gus a shailleadh anns na baraillean.

Bha ùpraid is othail mhòr mus fhaigheadh na bha seo de bhàtaichean mòra gu laimhrig. Is tric a chluinnte Pàdraig Ceit is a chompanaich a' bagradh, 's a' maoidheadh le tuaghan nan làmh nan ròpan a ghearradh, gu bàta eile an leigeil a-steach gus an tigeadh luchd-sgadain air tìr. 'S ann a bha an othail air bodaich na mor-thìr. Is cha robh a thuras gun bhuannachd, do fheàrr Cheann Loch Chill' Chiarain 's Inbhir Aora le am bàtaichean beaga snog: mar gum biodh iad air an slìobadh le ola.

Bha eisimpleir fichead sgadan ann am bascaid-làimhe ga thoirt às gach bàta is bha an sgadan air an reic, a-rèir a' phris, anns an mhargadh fhosgailte. Bha ciùirearan ann às an Òlaind, às a Ghearmailt, à Russia, feadhainn aca a bha a' fuireach mìosan san àite a' ceannach èisg 's ga chur air falbh gu an dùthchannan fhèin, gu h-àraidh gu Riga, Memel is Stettin anns a' Bhaltic.

Dh' fheumadh cuid de na daoine sin cuideachadh, mus tuigeadh iad ciod e bha na h-iasgairean Gàidhlig againne a' ciallachadh is bha iad tric tur aineolach, cha mhòr air còmhradh nam Bucach is còmhradh an luchd-reic.

On a bha an sgoil dùinte a' chuid a b' fheàrr den t-samhradh, fhuair cuid againn aig an robh bloigh de na cainntean coimheach, obair den t-seòrsa seo am measg nan ciùirean a thàinig à cèin. Cha robh sinn fada gus na mheudaich sinn san dòigh seo ar n-aithne air cànainean na Gearmailte is Ruisia. Na h-Iùdhaich Ruisanach le an siùcair milis Frangach (*French Nougat*), bha iad air gach oisean.

Bha iasgach a b' fhiach iasgach a ràdh ris ann aig an àm, na mìltean baraille sgadain a' fàgail baile-puirt Steòrnabhaigh gach dàrnacha latha don Bhaltic 's don Ghearmailt is don Òlaind - far an itheadh iad amh e, rud a chuir iongantas oirnne.

Thigeadh muinntir nan tuatha le an cairtean a-steach airson sgadan, is gheibheadh iad am pailteas, ùr no saillte, sia sgillinn airson gad, air am biodh fichead sgadan, is not airson làn baraille den fhear shaillte. Cha robh sluagh na dùthcha seo ag ithe mòran den fhear shaillte, is chan eil an-diugh, ach bha reic mhath air sgadan anns na bailtean mora.

Bha saothair mor an cois an èisg, agus obair throm gu lèir aig na caileagan òga a bha ga leantainn, chan e a-mhàin ann an Steòrnabhagh ach ann an Inbhir Ùige, ann an Gallaibh, ann an Sealtainn, gus an àird an ear is eadhon Sasainn, ged is obair airgeadach a bh' ann, ma bha rath math air an iasgach.

Bha urracha mòra am measg chiùrairean Steòrnabhagh fhèin, mar a bha Coinneach Gobha (California), Murchadh Moireasdan, Donnchadh Maclomhair, J. M. Moireastan, Louis Bain is Murchadh Ruaraidh Bhig - daoine a rinn obair mhòr mhath nan latha.

A bharrachd air bàtaichean seòl bha na soithichean mòra a bhathas a togail san *t-slip*, brigeachan, is smacaichean, is schoonairean is slupaichean, a bha a' falbh le luchd-èisg tioram gus am Baltic, gu Lochlann, san t-Suain is gus an Spàinn (Bilboa) is bailtean Mhuir –Meadhan-Tìre, cuid a' dol leis a dh' Èirinn (Larne) agus a' tilleadh le aol-taighean: *Telegram*, *An Crest*, *An Advance*, is an *Heather Bell* is tuilleadh a bharrachd orra. Chan eil gin aca air an lorg an-diugh. Chuir na bataichean-toit às dhiubh, ach rinn iad fhèin is na daoine a sheòl annta feum nan latha.

Is cha ruig mi leas ach ainmeachadh beagan de na seòladairean calma a sheòl à Baile a Chanabhais is à Einacleit

Boydie on the pier during Lockdown, 2020

Caiptein Seòras Watt, air an robh cuid againn eòlach, is Ruaraidh MacCoinnich a sheòl nan seachd marannan mar Chaiptein fo sheòl is fo "*steam*". Tha Ruaraidh beò fhathast an Astràlia, mu dheireadh bha e fo chùram bàta den P.& O. Is math a b' aithne dhuinne Ruaraidh, is tha a chàirdean ann an Sanndabhaig fhathast.

Agus na bu shine na na daoine sin, bha Caiptean Doll, na Robastanaich, Dòmhnall Forbes is mar sin air adhart. Air cùlaibh nam maraichean ainmeil sin bha am maighstir sgoile Iain MacAoidh, a theagaisg sgoil na mara rè dà fhichead bliadhna agus is brèagha an carragh-cuimhne a chuir iad air an uaigh aige.

Bha taighean ghnothaich nan cùbairean, bùithtean nan tàillearan 's nan greusaichean nan àitean cèilidh anabarrach tlachdmhor aig an àm, mar a bha bùth Dhòmhnaill Eachainn, na bùth Dhòmhnaill MhicGhumaraid. Bha an òige fhèin gan oileanachadh gun fhios dhaibh, gu sònraichte nuair a thòisich deasbad eadar Dòmhnall Shuardail is Calum MacGilleathain à Mangurstadh.

Chan fhosgladh duine gun fheusag a bheul an latha sin, oir ceart no ceàrr, bha an fhìrinn aca gu h-ullamh.

Sgrìobh An Dotair Dòmhnall I. MacLeòid an dà iomradh seo ann an 1952. (Contributed)

Alexander MacLeod

An Cnoc, An Rudha

Pòrt: Steòrnabhagh

The *Muirneag* was the last herring drifter in Britian. The skipper of the *Muirneag* was Alexander MacLeod, born in Knock, Point in 1866.

On leaving school Alexander Macleod began fishing in the open-decked boats of that time. At the age of 19 in 1886, he ordered his first boat from Mr. Murdo MacDonald, boat builder, Stornoway - the *Jubilee*, with an 18ft keel and 25 ft overall.

Who could prophesy that this energetic young lad taking his first command would in 56 years hence, be the last link between the new and the old?

In 1890 Alexander MacLeod took over the *Johanna* SY 853, a 49-foot Zulu as skipper and part owner. In 1896 he became skipper and part owner of the new-build *Cabarfèidh* SY 1108 54-foot Zulu, one of the first Stornoway boats, to prosecute the East Anglia winter herring fishing.

In November 1897 on passage from Scarborough, the *Cabarfèidh* put into Aberdeen to land three East Coast members of the crew. With a skeleton crew of four, they struck heavy weather in the Pentland Firth. The yard broke and his brother was injured, but the three fit men brought the boat safely into harbour.

Another winter, also on passage from the East Anglian fishing, when off Whitton Head it blew a gale. After reefing her down, a heavy sea struck her and burst the sail. They had to run into Loch Eribol, Sutherland under bare poles.

In 1898 Alexander MacLeod became skipper and part owner of *Morvern* SY1217. With the *Morvern*, MacLeod was the first Stornoway skipper to fish out of Lowestoft.

In 1903 he contracted Mr William MacIntosh, a boatbuilder of Portessie, to build a Zulu with a 60 ft keel and 80 ft overall. The *Muirneag* was to have certain amendments to suit his requirements, derived from his experience of all his previous boats.

In May 1907, ENE of the Butt of Lewis, he rode out a gale for three days. When the weather moderated he hauled off Dubh Sgeir, Calbost and Loch Erisort, having drifted 30 NNE from the Butt of Lewis and all the way down the Minch.

MacLeod was a stalwart Christian, and on one occasion he gave a remarkable demonstration of fidelity to principles. On a Friday evening in August 1905, he shot his drift nets, 60 miles off Peterhead. The breeze developed into a gale, and they began to haul nets at 11pm on Friday, they were full of herring. At 2pm on Saturday they got the last net on board, having netted 250 crans of herring.

The sail was set with two reefs in, and after a while she shipped a heavy sea into the belly of the sail, which tore it. They repaired it as best they could and limped into Peterhead on Sunday afternoon.

A curer offered five shilling per cran for the catch. MacLeod refused, as it was against his principles to sell herring on the Sabbath. The curer offered a crew for unloading,

Harvest Reaper Stornoway Feb 2020 Sandra MacKay

so that Macleod would not be engaged in Sunday work, he also refused that offer. On Monday, still true to his principles, he dumped the record catch at the South Breakwater, an action he never regretted.

Alexander MacLeod never converted the *Muirneag* to engines. She was the last sail ship of that size in Britain when broken up to be sold in 1947.

Contributed by his grandson, Malcolm MacLeod, in 2020.

Mary Macdonald (Màiri Eachainn)

Suardail, An Rubha

Pòrt: Steòrnabhagh

I was born in 1915 and went to the work as a herring gutter at 16 years of age, in 1931. As a 'learner' on half-pay for the first year, I signed up with Duncan MacIver Ltd, who was the only island-born herring-curer at this time.

The mainland curers would send people over to the island, and they went round the doors looking for herring crews. A crew consisted of three women, two of them would gut the herring and the other woman would pack the herring in a barrel. When a crew of three signed up with the curer's agent, they got 10 shillings each, this was called the *eàrlas* (earnest penny). You could only go to the herring if you were *goit* (signed on with a curer).

The season began in Stornoway in May, then in June we went to the East Coast of Scotland. We came home after the Stornoway Communions in August, for the harvest you'll have heard of:

> '*Gealach abachaidh an eòrna, bheir i sinne a Leòdhas dhachaigh*'.

Yes, we came back home to help our parents with the harvest on the croft in the autumn. I particularly remember one year, a man in Melbost had a threshing machine with an engine. We used to feed the sheaves of barley into one end of the machine and the seed came out the other. The seed was put in a bag and fed to the sheep in the winter, with some put by, to be replanted the following year.

The herring ports were quite often closed until the potatoes were lifted in October. Then we went to Yarmouth and Lowestoft until the 1st week in December. Then in the spring, we were at home to cut the peats before the herring came to Stornoway again in May.

Gutting

While we were gutting we wore wellies and oilskin coats. The oilskin coat reached the top of the wellies and it was like a skirt really, with a bib to keep your jumper clean. You stepped into them and they went right round you. We wore blouses in the summertime. A *beannag* on our head was tied at the back, otherwise it would be in amongst the fish.

We washed the oilskins every Saturday. They would have been bought in Alec Macaulay's, Murdo Maclean's, George Stewart's or Bùth Peter Squeak (*Padraig a' Bhanc*). The oilskins cost about 10 shillings (50p in today's money), and the wellies cost about the same.

On the pier

The gutting stations in Stornoway were on North and South Beach and then when the war started all the herring went for curing. The kippering yards were in Newton, they were McConachies, Louis Bain, George Duncan and Bloomfield, who had a station where the Co-op Bakery used to be on Bells Rd.

The fishermen poured the herring into the *fallings* (farlanes), the big wooden tubs. There may have been 40 crews and every crew was issued a number by the curer and you stood in the same place every day. The gutting knife the *cutag,* was supplied by the curers as well.

There were four baskets of herring in a cran. The girls sorted the herring as they gutted, into the different baskets they went, and oh if you weren't concentrating, look out! I still remember the four grades, small matties, matties, mattie fulls and fulls. All the herring was bound for Germany and Russia.

The coopers were the ones who made the wooden barrels for the herring, and then they sealed them once we filled them. Those coopers went round to tell you when the herring was coming ashore. "Tie up your fingers" they would shout. We tied our fingers individually in rags to stop our fingers blistering. You didn't feel the cold and they didn't hinder your work in any way. You did your own hands, starting at the little finger and working towards your thumb.

Things had changed the last two or three years before the curing stopped. We fed the herring into machines, and it was gutted by the machines the Norwegians brought in.

I saw a lot of the world. I went to Lerwick, Stronsay, Lochmaddy, Yarmouth, Lowestoft, Peterhead, Fraserburgh. When I went to Lerwick I got the steamer from Stornoway to Kyle and got a train to Aberdeen from there. The curers would hire the train especially for the herring girls, hundreds would be leaving the island at the same time. We used to leave Stornoway at 11 o'clock at night, say on a Monday night, and we'd be in Lerwick on Wednesday morning.

We worked sometimes from 6 in the morning until 2 o' clock the next morning. When I worked at the herring in Stornoway and at the other Scottish ports, we lived in huts provided by the curers. We had to take our own bedclothes, pans and dishes. In the huts there were maybe three rooms, with one crew of three in one room. We got free coal from the curer, and a message boy came on a bike and took our orders and we paid for them on Saturday.

When we went to England we lived in lodgings. We got a weekly wage to pay for our lodgings, over and above the earnings that we were paid at the end of the season.

I went on strike in Yarmouth once, we wanted more pay. For each barrel we filled, we were only getting 10d (ten old pennies) between the three of us. We spent a week on strike, and we got an increase to 1 shilling (12 old pennies) a barrel, to be shared between three - that was 4d each gròta (a groat). I saw a headline in a paper at the time, it said '*6,000 Fisher Girls on Strike*'.

Yarmouth was a lovely place, we always had nice weather there. I remember the Sundays there, nobody worked on a Sunday.

I still have my *cutag* here. I take it out to show the children, but I don't think they understand. Life has changed so much.

Mary MacDonald (aged 89) was interviewed by Maggie Smith in 2004, translated from a Gaelic conversation for a newspaper article in 2005.

Torquil MacLeod

Port: Steòrnabhagh

Torquil MacLeod was born in Stornoway in 1911. In 2005 his vivid memories portray a thriving herring industry. Working as a cooper making wooden herring barrels took him to fishing ports on the East Coast of Scotland and North East England.

Our family lived at 79 Kipper Rd (now Enaclete Rd). There were six busy kippering shed on the street. In 1925 when I left school at fourteen, the first job I got was making kipper boxes. I got one and six (one shilling and six pennies-7 pence in today's money). The boxes were easy to make, they only had twenty nails in them. You only made them to order, as there wasn't the space to store them. You got an order for maybe 300 or 400 boxes at a time.

I was also a messenger boy at the same time in Iain Burn's shop, this later became Cathie Dhall's shop. The shop sold groceries and milk, two big churns came on the mailboat, the Loch Ness every night and we went to the quay to collect it. The customers came to the shop with their cans and took a pint or two pint or a quart or whatever they wanted.

When I was sixteen I had then to serve my time as a herring barrel cooper with Duncan MacIver Ltd. It took four years to learn my trade as a cooper.

There were three in a crew of herring girls, two gutters and one packer. Duncan Maciver had fifteen crew in one shed on Kipper Rd (called the Dardenelles), six crews in the kipper shed in another yard on Bells Rd and Enaclete. Opposite TB MacAulay's shop there was a wee fish curing station 'Amars' station they called it and we had six crews in there.

The herring girls came from all over the island, but most of the girls I worked with were from Point. The season started on the 10th of May and the herring was matjes then, it was an empty virgin herring with no milt or roe. Later on in the season they had milt and roe coming.

The women had to gut the herring and guess the weight and length of each one. The women had three or four tubs on each side of them, they had to know at a glance which tub to put the herring in. Our job was to keep an eye on the size of the herring in the barrel with a wooden gauge. Maybe one girl was adding herring that was too small into a barrel, so we had to tell her. Now and again when they got fed up of you, they would throw the herring over their shoulder and it would hit you in the face!

We used to pack about 400-500 cran a day, there were four baskets in a cran. One day the boss came down and said "I've bought 1,000 cran of herring. You have to gut them all before tonight"

We started at six in the morning, home for breakfast from nine till ten, then gutting from ten o clock till one o clock. Home for lunch one to two, then gutting from two o clock till six. The home for tea from six to seven, then carrying on until the last herring was gutted and packed, maybe eleven o'clock or midnight. We were out again at six the following morning.

The herring was all packed in barrels and during the night the salt and brine melted, with the result that the herring dropped. The women had to empty some of the herring, re-salt and repack. Our job was to put the wooden end on the barrel and put the iron hoop round it and close it all up. That went on in May, June, July and August. By then the herring started to fill up and they were called matje fulls and fulls. They had milt and roe in them from about August, we continued packing them until the end of September. Then we would down go to Yarmouth following the herring.

Before the season finished in Stornoway I saw as many as 500 fishing boats filled with herring. They would empty the hold and wash down, then go across to the hulk to get coal for their boilers. They were all steam drifters then. The crew would go to sleep, then leave for the fishing grounds at 4 or 5 o'clock in the morning. Some of them went up the coast towards Ness, some towards Harris and returned to the port by midday with their catch.

The coopers were topping the barrels, packing them all in rows and maybe the boss would come and say 'We'll take that lot'. We had to run the pickle off then, the contents of the barrel would then drop, the woman would re-pack, we would brand the barrels with the company name and the size of the herring.

The large herring went to America, the smaller herring went to Russia. In the winters before the war the German Klondyers used to come into Stornoway and we would fill huge boxes with herring and ice and take it out to them.

Sometime later I joined the The Terriers (Territorial Army) and when war broke out I was called up. As part of the Ross Battery and the 51st Division we were captured. I was a prisoner of war in Germany and I was sent down a coalmine. One day there was so much snow we couldn't get down the mine and we were allowed to go for a walk above ground. I peered behind a shed and came across a pile of herring barrels. Would you believe, three of them had the Duncan MacIver Ltd. stamp on them! The barrels were lying there, empty. The Germans had removed both ends of the barrels and had previously been using them as a drain.

At Duncan MacIver, two of us coopers were sent to Scalpay. A lovely wee job, it was like a summer holiday. If the fishing boats had just a few cran they would come into Scalpay instead of going all the way to Stornoway. The local women would come and gut and pack for us. There were no roads in Scalpay then, we worked at Cuddy Point where the Morrisons lived in the nearest house. Annie Morrison and her three brothers, Johnnie, Jackie and Kenny Morrison.

The girls in Scalpay were lovely but there were no pictures to take them to, you just had to take them for a walk, it was just 'caithris na h-oidhche'.

There were ten coopers at Duncan MacIver's then, 'Duncan's boys' or 'Balaich Dhonnchaidh', the herring girls called us. They were: Billy Read, Dolly Wilk, (Macrae), Johnny Basher, Dodi Porter, George Porter, Billy Porter, Alec Grey, Iain Munro (Boots), Jimmy Winchester, Dolly Doyle and I. Willie Bannerman had been coopering before us, but Dodi Porter was probably the last apprentice cooper.

The salt used for the herring came in from Liverpool. After that it came in from Spain, Torrevieja it was called, it smelt different to the Liverpool salt and was much finer in texture.

The transport was mostly horse and cart in those days. Duncan MacIver Ltd. had two Albion lorries with solid tyres. We took them to Yarmouth once, on the coast boat, up the Manchester Ship Canal and drove across England to Yarmouth. The coast boat the *Durham Coast* called in at Stornoway every week then. Another time we took a lorry from here, round the Cape, landed in Dundee and drove to Yarmouth. There were no wipers on the lorries then, you just prayed for the best!

We used to send herring crews to Lerwick. One time we needed 2 crews quickly, so six of the girls arrived on one of the first flights into Stornoway. I remember the first plane which landed in Stornoway, it was piloted by Captain Fresson and he landed on the golf course at Steinish, where the airport is now. The cows went mad, the seagulls went madder. Our boss Norrie MacIver took them to his house for tea, very strong tea it was. Weren't our girls brave coming in a plane, we were so busy here and there wasn't a lot of herring in Lerwick at that time.

In those days if you were working your boss put a stamp on your card. If you weren't working and went to the Labour Exchange, the amount of money you got depended on how many stamps you had on your card. This crowd were working at the peats and one woman wanted a hand getting the creel on her back, she said '*Tog seo orm's gheibh thu stamp*' ('Help me with this and you'll earn a stamp'). This became a phrase if you wanted a hand with something.

My pal and I went to Yarmouth, you could always tell our girls in Yarmouth. Their walk was so different you could spot them right away. We saw three of them coming up the street and as they passed I said in my best Lewis Gaelic:

'*Tog seo orm 's gheibh thu stamp*'

'*O Dhia eil' sin aca a-bhos a seo mar tha!*' ('Have they got that phrase down here already!')

Our girls went on strike down in Yarmouth, they were getting a shilling for a barrel between the crew of three. They wanted another tuppence or thruppence. By gum, I tell you the herring and the barrels were flying when they went on strike. Our girls worked hard for their money.

Torquil MacIver age 94, interviewed in Stornoway June 2005 by Maggie Smith.

Duncan MacIver Ltd.
Steòrnabhagh

Duncan MacIver began curing herring in Stornoway in 1888. The company name and the herring trademark '*Excelsior*' and the logo '*Special North Atlantic Kippers*' became known worldwide. The company traded as coal merchants in Stornoway until the late 1990s. The following items are the remnants of the trading of this multi-faceted company.

Coal Depot

The steam drifters fishing for herring were powered by coal stored in a '*hulk*' in Glumaig bay in Stornoway harbour. The hulk was manned by a crew of twenty workers who shovelled the coal from the coastal freight ships, taking it aboard the hulk, then shovelling it on board the herring drifters when they came alongside.

The hulk workforce left Stornoway harbour at 7am on Monday morning on board the *Heather*, also owned by Duncan MacIver Ltd. They were taken out to the hulk the '*Portugal*' owned by the company, and there they stayed until Saturday afternoon. If the workers missed the Monday boat at 7am, they lost the week's wages. The '*Portugal*' was hit by the Fleetwood trawler '*Urka*' at 7am on Wednesday 17th January 1951. The hulk sank with 946 tons of coal on board. In 1943, a staggering 43,000 tons of coal were landed at Stornoway, in comparison with between 3000-4000 tonne in 2004.

Barrel coopering

Apprentice coopers who commenced their apprenticeship with Duncan MacIver Ltd.

D. Macrae, 6th Feb 1928

D. Macleod, 13th Feb 1928

T. Maciver, 23rd April 1928

I. Munro, 4th Jun 1928

A. Grey, 18th March 1929

W. Porter, 23rd June 1930

G. Porter, 29th August 1932

Barrel making materials, Stornoway, season 1930/31

Whole barrel Staves (Jointed) 150/-

Half barrel Staves (Jointed) 130/-

Iron end Hoops 5/2

Whole barrel Wooden hoops 6/-

Half barrel Wooden Hoops 4/9

Whole Barrel Ends per pair 10d

Half barrel ends 8d

Herring Curing

Notes on some of the herring curing processes used by Duncan MacIver Ltd. The company also cured mackerel, cod and salmon for the export market.

Marinaded Herrings

After rousing herrings, scale them, cut heads off. Bellies open to navel and remove guts and put in a bath of 20% salt water solution that must be changed several times for forty eight hours, until the fish are white and blood is all removed. Drain fish, brush inside of bellies to remove the black skin which the salt bath will have loosened, and put in a curing solution of 30% vinegar, to which 10% salt has been added.

Bloaters

Dry salt herring on concrete floor and turn with shovel and leave herring overnight. In morning wash through light pickle and hang on spits or tenters and hang on racks or in kiln to drip and dry. Smoke lightly for about 6 hours or less using billet wood as preferable to chips and sawdust as this soft fuel gives rather more colour than is desirable as bloaters should be dried rather than coloured in the smoke.

Red herring

Rouse and pack in barrel (packed nearly flat) ungutted herring for at least 10 days or longer. When long enough in the cure herring should be spitted, the spit being entered under the gill covers and pushed out through the mouth Place the full spits across tanks containing fresh water and submerge them for 36 hours changing the water once or twice, drip and dry the herring before commencing to smoke. Herring should be smoked with small billet wood fires for one night and then be allowed to cool off all the next day and night. The following day and night another billet wood fire should be applied and the fish cooled again for 24 hours. From then on fires of chips and sawdust should be burned, the fish being smoked and cooled alternately until the required colour and firmness has been obtained. This might take three to six weeks according to the market the fish are intended for. Do not pack fish until they are quite cold.

Cured Matje Filleting

A half barrel can be condensed by about 60% in weight and cubic irrespective of the type of container used.

With scissors remove head, cut thin strips along line of belly to tail, remove tail. Hold herring in left hand and draw right thumb down length of back bone to separate fillets. Remove fillet on boneless side from skin by pulling down sharply from head to tail. Next remove skin from bone side in the same manner. Remove bone from fillet with fingers or knife taking away as many side bones as possible at same time. With experience a speed of 60 herring per hour per person is possible. A half barrel of ordinary cured matjes should produce approx 60lbs of fillets. The skin of a matje that has been in cold storage previous to filleting is more difficult to remove.

Expenses for Steam Drifter Windfall

Summer Fishing 7/5/1937 to 11/9/1937

Stornoway (1 week Castlebay)

*Cutch	£ 15: 1: -
Commission @9d per £	£ 45:17: 7
Wages	168:14: 3
Oil	9: 1: 5
Coal & Carbide	314:19:11
Stores	9:13: 5
W.C.A Insurance	8: 4: 2
Provisions	100:15: 2
Harbour & Landing Dues	13: 1: 6
Water	2: 7: 6
Bonuses	9: -: -
Insurance per week	72:18: -
(£210:11:11 per year of 52 weeks) Total	£ 769: 3:11
Average Expenses per week	£42:14: 8

Expenses for Steam Drifter Windfall

Great Yarmouth Fishing 30/9/1937 to 20/11/1937

*Cutch	£ 3:16: 9
Commission @1/- per £	31:15:11
Wages	87:19: 6
Oil	4:15: 5
Coal & Carbide@38/6ton	165:14: -
Stores	7: 8: 3
W.C.A Insurance	3: 3:10
Provisions	56: 1: 8
Harbour & Landing Dues	15: 9: 7
Water	4:18: 7
Bonuses	4:10: -
Funeral & Hospital Subs	:10: -
Insurance per week	28: 7: -
(£210:11:11 per year of 52 weeks) Total	£ 414:10: 6
Average expenses per week	£59: 4: 4

*Cutch was the substance the cotton nets were soaked in to strengthen and preserve them.

*The *Windfall* was the last steam drifter owned by Duncan MacIver Ltd.

Ice Freight (Dec 1930)

Liverpool/Stornoway

5 ton lots & Upwards   21/3 per ton

Less Lots   31/3 "   "

Liverpool Ice merchants

H.T Ropes Co Ltd 8 Victoria Street,

Union Cold Storage Co Ltd Williamson Square

Aberdeen/Stornoway (Mail boat)

4 Ton Lots & Upwards   20/- per ton

Less lots   30/- per ton

Harbour Dues, Stornoway 1/6 per ton

Steamer Sailings

Aberdeen/Stornoway every Thursday 5pm

Liverpool/Stornoway every Wednesday 3pm

Ice Freight (Feb 1931) per Ton Delivered Stornoway

Aberdeen	(Passenger Train) 94/6d
Aberdeen (Goods train)	66/11d
Aberdeen (Steamer)	40/ 6d
Liverpool (Steamer)	52/9d
Belfast (Steamer)	55/9d
Dublin (Steamer)	76/9d

About 2d per box may be added for loss of weight due to transit.

Ice is based on about 1 Ton to 50 Boxes (7/4 box)

Note: Boxes known as "Seven fours" as 7 cran baskets = 4 Boxes

Contributed to Rotal by the late Norman 'Brot' MacArthur, 2005.

Iain Moireach An Comrade, 2019

Pòrt: Steòrnabhagh

'Sann à Tòlstadh bho Thuath a bha taobh daoine m' athar agus bha iad ag iasgach fad' am beatha. Am bàta air an robh mise bho dheireadh 's e siud an tritheamh *Comrade* anns an robh an teaghlach an lùib . 'S e m' athair Iain Angaidh Dhòmhnaill Bruce agus mo sheanair Dòmhnall Bruce bha e ri iasgach an sgadain, an dèidh thighinn às a' chogadh. Bha esan air an *Iolaire*.

Bha *crowd* timcheall air an t-seann *Comrade* air an robh mo sheanair. Tha mi creids' gun robh ochdnar de sgioba air na drioftairean, cha robh càil aca son slaodadh rudan, 's e *manual labour* a bha ann gu lèir.

Bha m' athair aig an sgadan agus an uair sin le *seine net*, ag iasgach iasg geal. Mu na 1960s chaidh e gu na mùsgainn-caola, abair thusa gun d'fhuair Steòrnabhagh glè mhath às an iasgach sin cuideachd. Cha robh e cho mòr 's bha sgadan uaireigin, ach fhuair an eilean glè mhath às. Eadar na h-iasgairean agus na *factorys*, bha e gu math trang airson iomadach bliadhna. Bhiodh iad ag iasgach mu na cladaichean seo fhèin agus taobh an ear Leòdhais.

An uair sin bha *Stornoway Shellfish* ann agus am factaraidh mòr air Eilean Nan Gobhar, bha e aig *Youngs* an uair ud. 'S ann aig *Macduff Shellfish* a tha am factaraidh sin a-nis. Bha dà factaraidh ann, an tè a tha shìos am Barraigh agus factaraidh Ghriomosaigh, ged is ann air *scallops* as motha a tha iadsan ag obair an-diugh. Tha e feumail gu bheil na factaraidhean sin an-diugh a' cur airgead dha na h-eathraichean, rud nach robh ann uaireigin. Tha e cho duilich dha na balaich òga faighinn a-steach dhan an *choba* an-diugh.

Ann an latha m' athar tha mi a' creids' gun robh 7 no 8 bàtaichean ag obair à Steòrnabhagh le daoine à Tolstadh orra. Bha an *Comrade, Wave Crest, Braes of Garry, Srath Garry, Highland Chieftain, Fear Not*, an *Sharon Rose* an dèidh làimh. An *Excellent, Isabella, Succeed, Marabelle*, an *Olive Branch* aig Dòmhnaill Iain Mhòir agus am *Bren Hilda* an dèidh sin.

Thòisich mi fhìn ag iasgach an 1984, an uair sin bha còignear de sgioba air a *Chomrade 2*, aig na mùsgainn-caola.

An t-Obair

Tha na mùsgainn-caola mar na rabaidean, 's ann as an lathach a tha iad. Feumaidh poll no creàdha a bhith ann gus am faigh iad air cladhadh. Cha ghlac sinn iad mura bheil iad a-muigh ag ithe. Tha talamh gainmheach ro bheò dhaibhsan. Bidh sinne ag obair le lìon *trawladh*, ged a tha tòrr ag obair na mùsgainn-caola le cliabh cuideachd.

Bhiodh *Clean Net* againn agus *Hopper Net*, bha cuibhlichean air an sin airson obair cruaidhs son nach biodh sinn a' togail na h-oileagan. Gu math tric bhiodh sinn a' faighinn stuth nas fheàrr air grunnd nas cruaidhe, grunnd robach, chan fhaigheadh tu ann leis an lìon eile, sin far an robh an *gear* leis na cuibhlichean math. Bhiodh sinn a' dèanamh tòrr milleadh cuideachd ge-tà, bha sinn a' dèanamh tòrr càradh. Bhiodh sinn ag iasgach air feadh a' Chuain Sgìth, a-null gu tìr-mòr agus gu ceann a deas

Bharraigh. Ach ma thèid thu mòran tuath air Tolstadh tha cus gaimheach ann.

Airson a mhargaidh, bhiodh sinn a' feuchainn ri thighinn a Steòrnabhagh mar bu trice, mar a bhios iad ag ràdh 'support your local sheriff', ach uaireannan le droch àmisir no cus astair bhiodh tu a' landadh anns an àite a b' fhaisg, uaireannan bha thu a' call cus tìde a thighinn a-nuas. An uair sin bhiodh sinn a' landadh a h-uile dàrna latha. An-diugh tha chillers aca agus gheibh iad air an cumail nas fhaide. Bhiodh sinn a' feuchainn ri an reic ann an Steòrnabhagh, ged a bhiodh e uair a thìde no barrachd bhiodh tu a' tighinn ann.

Iasgach

B' àbhaist nàdar de phàtran a bhith ann son na mùsgainn-caola. Nuir a thòisich mise ag iasgach an toiseach, bhiodh sinn a' dol gu aon sgìre aig an aon àm den bhliadhna. Ach a-nis tha e 'hit and miss', bidh e ag obair ann an àitichean nach robh e an-uiridh, no na bliadhnaichean eile. 'S e experience, no chance a bhios ann an lorg na mùsgainn-caola co-dhiù.

Feumaidh tu a bhith a' falbh bhon ghrunnd uaireannan, ri linn nach eil an slige ceart, no ma tha berries oirre. Chan eil e a' dèanamh ciall nuair nach eil an rud freagarrach, bhiodh tu às do chiall a bhith gan glacadh, cha bhiodh càil ann an ath-bhliadhna.

Fisherman's Co-op

'S e bha math dhan eilean nuair a thòisich am Fisherman's Coop ann an 1978, ron sin 's e Fish Selling Companies a bha ann. Abair gun do rinn e feum dhan àite. Cha robh na h-iasgairean a' faicinn leth uiread a dh'airgid 's a bha iad a' faighinn nuair a bha iad a' ruith an rud iad fhèin. Tha sin a' dol gu soirbheachail chun an latha an-diugh.

2019

Am bliadhna fhèin, 2019, tha na h-eathraichean à seo air falbh air a' Chosta an Ear ann an Shields, Eyemouth agus Fraserburgh aig na mùsgainn-caola agus an dèidh squid.

Iain Moireach a bruidhinn ri Magaidh Nic a Ghobhainn, 2019.

Uig

The sheltered harbour at Meabhaig is the centre of maritime activity today, with fish farm boats, boats with scenic trips for tourists and small fishing craft. Before the road to Uig was built, Meabhaig was the hub for the area, with boats ferrying passengers and goods from Callanish.

A regular delivery by one of the coast boats brought building materials to the Department of Agriculture and Fisheries store on the Meabhaig pier.

Valtos and Crowlista were busy ports during the herring boom and a centre of activity with the curing houses and export of white fish before the 1st World War.

Most villages had boats, which were beached during autumn and winter and the lads were introduced to sea and fishing skills from a very young age.

There is a detailed account of a youngster in Geshader in the 1940s making a fishing buoy from a sheep skin. The buoy is on display in the Uig Heritage Centre.

An account of an abundance of herring in Loch Hamnaway and preserving the herring in pits in the ground until the herring could be taken back to the villages. During this time a barefoot man with a huge herring net on his shoulders frightened Mac an t-Srònaich, the fugitive living in the Uig hills.

Every village in Lewis and Harris had fishing tragedies and the research included here, on two boat tragedies in the early 1930s, highlight the devastating loss, to communities and families.

Lobster pond at Pabaigh Loch a Rog, courtesy of Stuart Baird.

Fionnlagh MacIomhair

Port: Geiseadar

Finlay Maciver 2004 with the fishing buoy, he made as a youngster, on the Uig Heritage Centre display. Courtesy of Keith Stringer 2004

M: 'S e sibh pèin a rinn am pùta a tha ann an Taigh Tasgaidh Ùig, cuin a bha sin?

F: 'S ann nuair nach robh fhios agam dè bha romham, cha robh mi ach mu shia deug no seachd deug. Bha mi dèigheil air a bhith a-muigh ag iasgach, a-muigh le lìon bheag. Bha putan duilich am faighinn, bha iad ro dhaor is gu math tric bha iad ro mhòr. Bhiodh sruth ann agus dh' fhalbhadh iad leis a' chloiche agad. Bhiodh tu dèanamh nam putan agad fhèin gus nach biodh iad ro mhòr. Thòisich mise air fear is bhathas ag innse dhomh dè mar a dhèanainn e.

'S e a' chiad rud craiceann mòr muilt fhaighinn. Mult mòr agus an craiceann aige a chumail ùine, a spìonadh 's a' chlòimh a thoirt dheth, is an uair sin tòiseachadh ga *chiùirigeadh*, a' cur salann air agus an rud a bhiodh aca airson cartadh lìon sgadanach. Lìn chotain a bha ann an uair sin agus dh' fheumadh iad a bhith gan cartadh tric no bhreòthadh iad orra.

M: Cò leis a bhiodh iad a' cartadh lìn-sgadanach?

F: Bha le rùsgan chraoibhean, cha chreid mi nach ann bho taobh an Spàinn no Portugal a bha e a' tighinn. 'S e '*bark*' a bhiodh aca air. Bùrn teth is bhiodh iad a' cur an t-sùgh a bha seo ann. Nuair a dh' fhuaraicheadh sin, bha mise a' cur a' chraicinn ann. Bha thu a' cur na lìn ann, nuair a bha e fhathast teth, ach cha b' urrainn dhut an craiceann a chur ann. Bha mi ag obair air an sin airson ùine mhòr gus an d' fhuair mi air a chiùirigeadh. 'S e an uair sin pìos maide fhaighinn agus cumadh a thoirt air, ach am biodh an craiceann cruinn.

Dh'fheumte toll a chuir troimhe, cha robh agamsa a chuireadh toll troimhe, ach bòdhta teth às an teine, ach chaidh agam air a dhèanamh le cuideachadh bho m' athair. Bha an uair sin agam ri timcheall amhach a' phuta a cheangal. Bhiodh tu a' fàgail oir air ceann a' phuta, ach an teannaicheadh tu leis an t-streang e. Bha thu a' cur air an t-sreang, an aon seòrsa 's a bhiodh air an lìon bhig. Chuireadh tu air tioram i, ach nuair a chuireadh tu dhan uisge i, bhiodh an sreang a bha sin a teannachadh cho teann, nuair a dheidheadh a fhluicheadh.

Cha robh e ag iarraidh mòran gaoith a chur ann airson a chumail air uachdar ann, dhèanadh glè bheag a' chuis. Cha robh am puta ro mhòr, airson a bhith a' slaodadh na cruaidhe, ach bhiodh tòrr obair ann.

Gu math tric bhathas a' faighinn nan lìn air an dèanamh. Bha tòrr obair ann nam biodh tu a' dèanamh lìon beag. A rèir 's cò às a thigeadh a lìon beag, bha feadhainn 's bha trì dubhain chun na h-aitheamh, bhiodh fear agad anns gach làmh 's fear eile aig do bhroilleach. Bha trì dubhain air cuid, ach feadhainn eile chan fhaigheadh tu ach na dhà. Bha iad sin na b' fheàrr, gu h-àraid ma bha an t-iasg pailt, an dubhan a bhith faisg air a chèile, 's iad a bha a' cunntadh.

Snòda

Bha a-rithist an rud air an robh an dubhan, 's e sin an t-snòda. 'S ann à earball nan each a bhathas a' dèanamh na snòda. Na h-uiread dhith air a thoinneamh.

Tha cuimhne agamsa na h-eich, 's bha tòrr eich anns an sgìre, chan fhaiceadh tu gin a dh'each le earball fada air, bha iad gu lèir air falbh airson a bhith a' dèanamh snòdaichean. Bha dòigh air a dhèanamh. Dhèanadh iad air an glùin iad agus bhiodh feadhainn *tididh* snog aca air an dèanamh.

M: An robh cuid de na lìn a' tighinn le na dubhain?

F: Thigeadh na lìn le na dubhain, ach bha thu a' call dubhain gach uair a dheidheadh tu a-mach agus gu h-àraid nam biodh biorach ann. Nam biodh biorach ann dh'itheadh i an t-iasg agus an t-snòda, bha h-uile càil a bha ann a' falbh. Bhiodh leòman dona gu bhith ag ithe na snòdan sin. Dh'fheumadh tu a bhith cinnteach nach biodh leòman a' faighinn dhan bhasgaid-lìon sgadain, air a neo dh' itheadh i na snòdaichean ort.

M: De mar a bha sibh a' faighinn air an cumail às?

F: Bha le pàipearan. Bhiodh tu a' cur pàipearan air a h-uachdar. Bhiodh a h-uile duine an uair sin, chitheadh tu lìon bheag crochte a-staigh, ach am biodh e tioram. Bha iad glè fhaiceallach, agus eagalach faiceallach gum biodh an lìon beag air a thiormachadh. 'S e cotan a bha innte is breòthadh i 's bhiodh i loibhte. Bhiodh e gu math tric crochte a-staigh anns a' cheò faisg air an teine.

M: Dè an t-àm dhan a' bhliadhna a bhiodh iad ag iasgach?

F: Bhiodh iad ag iasgach fad na bliadhna, cha robh mòran ga dhèanamh as t-earrach, ach bha iad uamhasach dèidheil faighinn a-mach anns a' gheamhradh, a-mach suas eadar sin 's a' Bhliadhna Ur. Is bhiodh an uair sin *speilean* de thìde reòite ann. Tha cuimhne agam na mo bhalach a bhith a' dol a- mach còmhla riutha is bhiodh iad a' dol fada a-mach, bhiodh iad a' faighinn adagan mòra a-muigh an sin. Bha iad math airson an sailleadh, bha iad miorbhuileach math, sin an rud air a bheil *Jumbo Haddock* aca an-diugh. Bha iad a-muigh an siud gu math pailt a-muigh far a' Ghallain.

M*: Am biodh iad a' glacadh an èisg dhaibh pèin no am biodh iad ga reic?*

F: Cha robh iad ga reic idir. Nuair a thigeadh iad gu tìr leis an sin, cha bhiodh duine às a' bhaile air fhàgail gun iasg ùr ro dheireadh an latha. Bha iad a' sailleadh na h-adaig, 's an uair sin ga togail 's ga tiormachadh.

M: *Dè cho fada 's a bhiodh i anns an t-salann?*

F: Cha robh i eagalach fada anns an t-salann idir aca. Bha iad ag ràdh nan tugadh tusa an t-sùil às an adaig, nan gabhadh an dà shùil sin de shalann, agus chan eil sin ach sloc beag air gach taobh, gun dèanadh sin a' chuis airson an adag a shailleadh. Nan cuireadh tu cus ann, 's ann a dhèanadh tu ro shaillte i.

Bha iad an uair sin gan crochadh air an t-sìoman. Anns a' gheamhradh bhiodh iad air an t-sìoman a-staigh, bha e letheach air a smòcaigeadh anns a' cheò. Bha an t-iasg sin gan cumail a' dol a-mach às t-earrach. Bhiodh iad gan cur am bogadh an toiseach airson gun toireadh e às pàirt den t-salann. Bha iad glè mhath is glè bhlasta nuair a bha an t-acras air duine.

Mac An t-Srònaich

Tha cuimhne agam a bhith a' cluinntinn, 's ann mu àm Mhac an t-Srònaich a bh' ann. An aon rud a-riamh a chuir eagal air Mac an t-Srònaich. Dòmhnall Ruadh Beag a bha ann an Einicleit a chuir eagal air. Bha Mac an t-Srònaich ann am Maola Chaolartain 's bha e a' faicinn an rud seo a' dol sìos a' Ghualainn a Deas, taobh na Beinne Deas, sìos an rathad a bhiodh duine a' gabhail a Thàmnabhaigh.

Bha Dòmhnall Ruadh Beag a' dol le lìon sgadanach air a mhuin, agus iad a' faighinn sgadan ann an Loch Thàmnabhaigh. Bha e leis an lìon-sgadanach a bha seo air a mhuin 's cha robh Mac an t-Srònaich a' faicinn càil ach an rud beag cruinn dubh a bha seo agus Dòmhnall Ruadh Beag cas- ruisgte ...na rudan beaga geala a bha seo a' gluasad fon a' chnap dhubh.

Cha robh e a' tuigsinn dè bh' ann. Bha dùil aige gur e an sàtan fhèin a bh' ann. Ghabh e eagal 's cha deach e an taobh a bha e. Tha e air a ràdh gur e Dòmhnall Ruadh Beag an aon duine a-riamh a chuir eagal air Mac an t-Srònaich.

Sgadan sa Riasg

Bhiodh iad a' faighinn sgadan ann an Loch Thàmnabhaigh. An àite a bhith a' tighinn a-steach leis an sgadan ùr chun nan taighean, 's ann a thug iad a-mach an salann agus bha iad a' sailleadh an sgadain ann an tuill rèisg, a-muigh faisg air Loch Thàmnabhaigh ann an shin.

Far am faigheadh iad tom far an sruthadh am bùrn dheth, bha iad a' dèanamh toll ann, agus a⊃' sailleadh an sgadain ann, gum faigheadh iad tìde a-rithist airson a dhol a-mach a dh'iarraidh an sgadain shàillte sin. 'S e sgadan beag a bh' ann ach tha e coltach gun robh e math. Bha iad ga shailleadh anns an riasg agus a' cur nan sgrathan air uachdar a-rithist, agus mar a bha e aca air a dhèanamh ann am mullach tom rèisg, bha am bùrn a' sruthadh dheth. Bha e ga chumail tioram is cumaidh an riasg rud sam bith mar a thèid e ann.

Sailleadh an Sgadain

Ach a' chiad chuimhne a tha agamsa, bhiodh iad a' dol chun a' Ghallain an tòir air an sgadan. Bhiodh iad a' tighinn às a h-uile h-àite. A-nall à Càrlabhagh 's Beàrnaraigh, 's bha iad ga fhaighinn deireadh *August, September*, mas *spanigeadh* e, mas deidheadh iad *'spent'*. Bhiodh iad a' sailleadh a h-uile aon dhan fheadhainn sin. Ghabhadh iad salann dhaibh an uair sin, mun àm sin den bhliadhna, nam faigheadh iad an sgadan a bha sin gan cumail airson a' gheamhraidh. Mura biodh rud sam bith eile ann, bha sgadan ann.

Cha robh an fheòil cho pailt an uair sin 's a tha i an-diugh. Cha robh na muilt cho pailt a bharrachd air an sin, nam biodh muilt ann bhiodh iad a' feumachdainn an t-airgead a thoirt às na muilt. Bhiodh iad a' reic an rud a b' urrainn, bhiodh feòil ann, ach tòrr den fheòil cha robh ann ach seann chaoraich.

Ach an dèidh a' chogaidh cha robh sgadan rim fhaighinn a-muigh air a' Ghallan. 'S ann a bhiodh 's docha dá thaigh a' faighinn leth-bharaill de sgadan Loch Fìn. Dhèanadh iad dà leth air, is cumadh sin dà thaigh a' dol fad a' gheamhraidh, gus an tòisicheadh an t-iasg a' tighinn a-rithist as t-earrach.

Mach as t-earrach, bhiodh an t-iasg a bhathas a' tiormachadh shuas an *Iceland*, bhiodh sin a' tighinn na *bhundalan* mòra, a h-uile h-aon aca ceangailte air earball. Bhiodh iad crochte anns na bùithean. Gheibheadh tu trosg ann 's gheibheadh tu troilleachan. Nuair a dheidheadh tu dhan a' bhùth, cha robh thu ach a' tàghadh a' bheathach a bhiodh tu fhèin ag iarraidh, ga ghearradh ann an sin is fàgail an t-earball às a dhèidh.

Bhiodh e cho geal agus bha e math dha-rìribh, 's e bhiodh an-còmhnaidh aca aig àm buain na mònadh. Às bith càite an deidheadh tu a bhuain na mònadh, chan fhaigheadh tu but feòileadh, ach gheibheadh tu an t-iasg ud, 's e bha math le bunàta math.

Fionnlagh MacIomhair a' bruidhinn ri Magaidh Nic a' Ghobhainn, 2004.

Seonaidh Bochanan

Port: Bhaltos

Bhiodh iad ag iasgach anns a' Chuan Hiortach ron a' chiad chogadh, nuair a bhiodh na h-eileanan a' dol à fianais orra bhiodh iad a' cur na lìn mhòir. Bhiodh iad a' tòiseachadh nuair a chailleadh iad Soraidh, 'Singeadh Soraidh' a bhiodh aca air. Bhiodh seachdnar anns an eathar agus dà lìon an duine aca.

Bhiodh e na chleachdadh aca a bhith a' cur lìon easgainn Dihaoine neo Disathairne a-mach bhon a' chladach an seo fhèin, airson biathadh na lìn mhòir.

Bhiodh iad a' falbh feasgar Diluain a' biathadh nan lìn mhòir le na h-easgann air an t-slighe a-mach. Cho luath 's a ruigeadh iad a-muigh, bhiodh iad a' cur nan lìn.

Nuair a chuireadh iad lìn, bhiodh iad a' toirt greis a' tìdeachadh nan lìn, a' ceangal an eathair ris a' phut airson dà uair a thìde neo trì. Nuair a bhiodh iad air na lìn a chur gu lèir, bhiodh iad gam biathadh gu lèir a-rithist agus gan cur airson an dàrna uair. An aon rud a-rithist, a' cur gach tè agus a feitheamh dà uair a thìde neo trì.

Bhiodh iad a' tighinn Diardaoin, na h-eathraichean air an acair anns a' Chaolas, agus iad a-mach 's a-steach le na h-eathraichean beaga a' toirt an èisg (an langa) air tìr.

Tha tobhta an taigh-saillidh an siud fhathast aig iochdar an *lot*. Bhiodh *ciùrair* aca, duine nach robh a' dol gu muir a bhiodh gan sgoltadh, gan sailleadh agus gan sgaoileadh, gan tiormachadh air na leacan, fhad 's bha a' ghrian ann.

An t-eathar a bha aig mo sheanair, na *Brothers*, bha 36 troigh innte agus bha deic oirre.

Bhiodh *balaist* de chlachan anns na soithichean an uair ud. Bhiodh teine aca air a' bhalaiste, iasg ùr am pailteas agus aran-còirce, is aran flùir gu leòr nan cois.

Tha cuimhne agam iad ag innse gun robh i a' tighinn a-steach cùl Mhangarstaidh agus thàinig an crann a-mach às an *socket* agus chaidh e a-steach fon tobhta. Cha robh sàbh no càil aca, thòisich iad ga ghearradh leis na corcan. Bha iad fèir gu bhith air a' chladach nuair a fhuair iad na bha air fhàgail dhan a' chrann a-mach bhon tobhta agus beagan de sheòl an-àirde. Cha deach an t-eathar a-riamh gu muir tuilleadh gun sàbh.

Bhiodh iad a' faighinn iasg eile, a bhiodh iad *a' shareadh* a-mach am measg muinntir a' bhaile. Chuala mi m' athair ag ràdh gun d' fhuair iad 1000 langa aon triop. Bhiodh iad gan reic ri *buyer* ann an Glaschu air 6d an langa.

Tha e coltach gun robh an soitheach an *Hebrides* a' tighinn a-steach, bha *wholesaler* ann an Calanais agus bhiodh an *Hebrides* a' tighinn a Mheàbhaig gus toirt leatha an langa a bha aca air an tiormachadh. Bhiodh seo ro 1914.

Bho bhris an cogadh cha deach iad gu muir tuilleadh. An dèidh ceithir bliadhna bha na soithichean air a dhol gun fheum. Ach ron a' chogadh tha e coltach gun robh grunn eathraichean à Beàrnaraigh a dol chun a' Chuan Hìortach.

Bha Bucaich a' fuireach ann am bothan ann an ceann a-muigh Phabaigh agus bha an *Coit* na *tender* aca. Nuair a dh'fhalbh na Bucaich, dh' fhàg iad an *Coit* aig mo sheanair agus tha i againn fhathast. Tha i ceud bliadhna co-dhiù.

Chlàr Magaidh Nic a' Ghobhainn Seonaidh Bochanan ann an 2017.

The Wireless

There was an Uig man called Donald who went to work on a trawler every season in Buckie on the East Coast. He was nicknamed Buckie. After he left the trawlers he married Peigi an Irish and settled in Reef.

A tale is told of the one time a Buckie trawler came into the bay in Uig. The crew had come to call on Donald, to tell him about this wonderful new gadget they had on board. It was called a 'wireless'.

They left the trawler on anchor, taking the wireless and cables off the boat, up to the top of the hill behind Reef. There they erected a post and wired it up with cable, all the way down to Buckie's house.

They invited all of the Uig people, from north, south, east and west, they came to witness this wonder for the first time ever. They didn't believe it could happen.

I was a wee boy living with my grandmother and I went to Buckie's house and it was overflowing with people and we heard wireless for the first time ever.

When I returned home my granny asked 'Where have you been?

I said 'I have been listening to people in London talking'.

She said 'You liar', 'You will get a slap when your uncle comes home'.

Notes from Maggie Smith's conversation with the late Rev D. A. MacRae, 2004.

Breanais and Scarp Tragedy

research by Donald J Macleod,Enaclete and Aberdeen

My mother's first cousin, Malcolm MacRitchie, was one of those drowned in March 1932 in the tragedy of the Margaret, a Breanish boat used for lobster fishing. Eight months earlier in August 1931 my mother had lost another first cousin, John MacInnes, on a Scarp boat.

The Margaret of Breanish, 1932

On Saturday, 12th March 1932, a north-westerly gale was blowing and a heavy Atlantic swell was running. When Angus MacKinnon, skipper of the lobster boat *Margaret* saw the inclement weather conditions, he woke his father Cain, and requested his assistance as an extra hand on the boat. Though retired from fishing, Cain agreed. Angus's younger brother Calum was also a crew member, but his father decided that he should not accompany them. I understand his father advised Angus not to waken Calum.

At daybreak on that fateful morning, two Breanish boats were launched at Moliginish. Strong arms and robust backs were required to haul the boats down the shingle beach and out into the Atlantic swell. With their sails unfurled, one boat headed for the lobster pots they had set opposite Breanish, while the *Margaret* headed in the opposite direction to their pots behind Eilean Mealista. I believe the *Margaret* was seen dipping in the heavy swell and about to round Eilean Mealista, but sadly was never seen again. Paradoxically, the bad weather only lasted for a couple of hours and the rest of the day was calm.

Sometime later, part of the wrecked *Margaret* was found wedged in a rock on the seaward side of Eilean Mealista. There was speculation that the mast had broken in the severe weather conditions, resulting in the boat capsizing.

Despite boats searching out at sea for days and local people scouring the sea cliffs, creeks, coves and seashore for miles around, no bodies were ever recovered; this despite the boat being assumed to have foundered close to the shore at Eilean Mealista. The failure to recover the bodies further grieved the people of Breanish and led to more anxiety for the families.

The four men drowned in this tragedy were:
Cain MacKinnon, 18 Breanish, and his son Angus (Aonghas Cain), Malcolm Mac Ritchie, (Calum na Shipolag) 15 Breanish, and John Buchanan (Iain Calum Eoghainn) 14 Breanish*.

Angus MacKinnon had served with the Royal Naval Reserve in World War 1 and was engaged to be married. His eighteen-year-old brother, Murdo, R.N.R.(T) had been drowned in the Iolaire disaster. Malcolm MacRitchie was single, and nineteen or twenty years of age. His uncle John MacAulay, 2 Breanish, was a regular crew member of the *Margaret*. However, at this time John was building a house and not going to sea. It is likely that Malcolm may have been in the boat as a hand in place of his uncle. John Buchanan left a widow and a young son and daughter. His wife was pregnant at the time and gave birth to a son some months after he was drowned. Buchanan had served with the Royal Navy Division in World War 1 and was captured by the Germans at Antwerp in 1916, and was a prisoner in Germany until the end of the war.

Note: John Buchanan of 14 Breanish. Eight months before he was drowned on the Margaret, John was searching for sheep at Liongam past Mealista when he saw an oar on the foreshore. He identified it as one probably used on a Scarp boat. Buchanan realised a Scarp tragedy might have occurred and informed the people in Breanish.

The Scarpachs sometimes placed the oars instead of wooden rollers under the keel when launching or hauling boats on sandy beaches. Their oars were therefore indented or marked by the weight of the boat. The oars used by the Scarpachs were longer (usually sixteen feet) and heavier than normal oars. They had to be durable due to the amount of rowing the islanders had to perform daily in heavy seas. Rowlocks were not used by the Scarpachs on their fishing boats. The boats had thole-pins set upright in the gunwale which was used as a fulcrum when rowing. The oars had a cnotan, a box placed on the oar to protect it from wearing.

A Scarp Boat, August 1931

In August 1931, Donald William MacInnes (*Am Bodach Ruadh*) and John MacInnes (*Am Beaganach*), no relation, sailed an open boat from Scarp to Kinresort. From there they walked to the West Side of Lewis and bought thirty-two hogs in Bragar and Shawbost.

With John MacInnes' dog, they drove the sheep before them over the hills back to Kinresort where every animal had to be lifted into their boat; a strenuous and tiresome task after walking so many miles. Instead of tying the hogs they packed them tightly below the thwarts. With the sail hoisted the boat headed down Loch Resort bound for Scarp, which was approximately eight nautical miles away.

With mountains on each side, Loch Resort is sheltered and is usually fairly calm. However, it is a different situation when a boat clears the loch and heads out into the open sea.

After leaving Loch Resort the boat would pass *Bogha na h-Uinneig* and then sail across the entrance to Loch Cravadale, which has a menacing cross-swell. This area is particularly hazardous for a boat under sail when there is an easterly wind blowing. Once past Loch Cravadale, their intended course would have been to sail between *Gob Rudha Mheilein* and *An Langarraid* (Fladday) and onward to Scarp.

When they were approximately half-way across the entrance to Loch Cravadale, a strong gust of wind hit the boat and filled the sail, causing the vessel to list abruptly. The hogs were pitched on top of each other on to one side, causing the boat to lose trim and be overwhelmed by the torrential inward flow of seawater.

Christina MacInnes (sister of John) was walking up the braes above Scarp on the way to milk cows at the *Buaile*. She thought she heard her brother shouting, but looking out over the sea she could not see any sign of a boat. She returned immediately to the village, but nobody believed her story. However, after some lapse of time boats were launched and a search began. People from Scarp also crossed the sound to Tràigh Mheilein and started searching along the foreshore.

Neither the boat nor the men were anywhere to be seen. The rescue boats were low in the water making it difficult for the crews to see any wreckage in the distance. As a result, Angus MacLennan (*Moigean*) went ashore at Meilein and climbed a small hillock. Looking across the wide expanse of water, he thought he saw something.

The boats made for Loch Hamnaway and found the missing boat on her side full of seawater. It had not capsized as the sail and mast prevented her from overturning. Donald MacInnes was clinging to the hull. He was rescued and on John MacInnes' father (*Seonigan*) asking him, '*Càite a bheil Iain?*' (Where is John?), Donald replied, 'I do not know'. There was no sign of the sheepdog either.

The rescuers wanted to leave the boat and let her sink, but Donald MacInnes was not agreeable. I should point out that in those days a working boat of around 19 feet was a capital asset in any island community such as Scarp. The boat had been used for lobster fishing and fishing with the great lines.

The Scarpaich, in *An t-Eathar Fada*, one of the searching boats, eventually managed to attach a hawser to the stricken vessel. With only four oars, they started towing the boat through the heaving seas. It was a toilsome and exhausting task; not only did they have to contend with a semi-waterlogged boat but the sail was still attached to the mast and lying in the sea, greatly hindering their progress.

They towed the boat to the sands at Meilein, a distance of approximately six miles. After a lot of sweat and toil had been expended, they somehow managed to haul the boat with the mast and sail on to the sandy beach. They detached the sail and pulled the *túc* (plug) out of the boat to release the trapped water.

As the body of John MacInnes had not been recovered, all the boats in Scarp and others from Uig started to search for his remains. With pensive faces, discussions took place to ascertain where the search should be concentrated. This was the Atlantic, and the body could have floated out to sea or grounded.

After two days and the body still not recovered, Donald MacDonald (*Dòmhnall Seoc*), 14 Scarp, a man whose expertise in handling boats was second to none, took Christina MacInnes to the spot where she was when she heard her brother shouting. MacDonald asked her to indicate the direction out at sea from where she thought the shout had come.

Dòmhnall Seoc with his crew then headed out to sea in his boat, the *Jubilee*. He stopped the boat west of the island of Fladday and started to drag the bottom with grappling hooks. Remarkably, he recovered the body on his first sweep. MacDonald's knowledge of the sea, current and tides was extraordinary, and often commented on by seafarers who knew him.

When the body of John MacInnes was recovered, he was gripping the painter. (This is a rope that is attached to the bow of a boat for tying it up). Unfortunately, the painter was not attached to the boat, so it would have just uncoiled when he pulled on it in an attempt to cling to the boat.

Though the drowning of John MacInnes was a sad blow to the people of Scarp, they were thankful that his body had been recovered and that he was laid to rest in the local cemetery.

Omen relating to the tragedy 1

For months prior to the disaster, the Scarp people were wakened during the night by the loud barking of a dog. Nobody knew who owned the dog or where it was barking. However, one night Angus MacInnes, Flowerbank, came across a dog down at the shore barking incessantly at a boat. This was the boat that later foundered, and the dog was John MacInnes's sheepdog, Queen. Efforts were made to keep the dog in the house at night, but it used to escape and head for the boat and start barking.

On the day the boat was found, a dog was heard barking on the shore across the sea from Scarp. This was Queen; it had survived the sinking. The dog must have had some unnatural foreboding that this Scarp boat was going to sink with him and his master on board. The dog was not the only abnormal omen relating to the loss of life on the Scarp boat.

Omen relating to the tragedy 2

Some months before the disaster Donald MacDonald (*Dòmhnall Sheoc*) went down to his boat the *Jubilee* beached on the shore, and noticed what appeared to be red paint on the cutwater (the white line painted between the paint and tar on the hull of a boat). He was puzzled, as he had not used any red paint. However, he wiped it off and did not tell anyone of the strange occurrence.

When John MacInnes' body, with two hooks attached to his jersey, came to the surface it was upside down beside the boat. On being lifted, a mouthful of his blood was discharged, and it splattered along the cutwater of the Jubilee where MacDonald had seen the red paint many months before.

Notes:

1   *The Scarp boat was considered a good strong sea boat with a broad beam. She was built by Donald MacAulay, (Saor), boatbuilder, Breanish. His son, Donald, may have built the 'Margaret' of Breanish.*

2   *The sea and coastline at Breanish and Scarp are hazardous, not only because of the Atlantic swell and current but also because of the many skerries and submerged sea rocks in the area. A few of these come to mind: Sgeir Eòghainn, Sgeir Liath, Bòghanan Cùil, Bògha Mol Donn and Bogha Thorcuil. Our progenitors were in danger of losing their lives every day they fished these perilous waters in open boats.*

3   *At one time, the sea at Breanish and Scarp was the domain of the Vikings. Many of the place names in the area are of Scandinavian origin and Loch Resort, the boundary between Lewis and Harris, was probably defined by the Norsemen. According to some scholars the word Resort could be from the Old Norse, 'Rae-s-fhord' meaning the 'Dividing Fjord.'*

At Breanish, Poll-sibhach was used by the Vikings as a haven to shelter their longships from the Atlantic swell and storms. On the coast of Scarp there are Laimhrigs, which is from the Old Norse for a pier or loading rock. The Vikings must have loaded and unloaded goods.

4   *Scarp is now deserted. The last family left in 1971. It is sad to behold Caolas an Scarp, Caolas Fladday and Am Bràighe Mòr without a single boat. Never again will*